다이다이 서점에서

DAIDAISHOTEN NITE
Written by TAJIRI Hisako

Original Japanese edition published by SHOBUNSHA Co.,Ltd.Tokyo, Japan
Korean edition is published by arrangement with SHOBUNSHA Co.,Ltd.
through AMO Agency.

다이다이 서점에서

다지리 히사코 지음

한정윤 옮김

나라이
카나이

차례

거리의 여백

비 내리는 책방에서

같은 달을 올려다보며

우표 없는 편지

거리의 여백

뒷골목에서

외벽에 페인트를 칠하세요.

무라모토 씨의 말에 서투른 솜씨지만 우둘투둘한 벽에 하얀 페인트를 칠했다. 우둘투둘한 건 타일이 가지런히 붙어 있지 않아서다. 지인에게 받은 쓰지 않는 타일을 무라모토 씨가 무늬처럼 붙여주었다. 고르지 않으니 페인트칠이 서툴러도 그다지 눈에 띄지 않아 맡겼을 것이다.

2001년 여름 즈음의 일. 두 달 전만 해도 카페를 할 거라곤 상상도 하지 못했다. 그저 어디에도 얽매이지 않은 채 뭔가 시작해보자는 막연한 생각을 하고 있었다.

구마모토 번화가에는 큰 아케이드가 세 개 있다. '큰길'이라고 하면 대부분의 구마모토 사람들은 세 아케이드 중 하나를 떠올린다. 그중 한 곳의 뒷골목에 카페 겸 잡화점을 열었다. 그로부터 몇 년 후, 옆에 있는 작은 점포를 빌려 서점도 시작했다. 그 뒷골목에 대한 첫 기억은, 고교 시절. 그보다 먼저 지나다녔을지도 모르겠다. 아니, 틀림없이 지나다녔을 텐데 기억은 없다. 아무튼 태어난 이래 구마모토를 벗어나 살아본 적은 없다.

다녔던 고등학교는 번화가 근처에 있다. 성곽도시라 도시 한가운데에 구마모토성이 있고, 성에서 내려오면 구마모토 교통센터가 있다. 그리고 그 뒤쪽에 고등학교가 있다. 10분 정도만 걸으면 아케이드라 교복 차림으로 아케이드 안을 어슬렁거리며 그 뒷골목도 드나들었다. 좁은 길인데도 다마야도리라는 이름이 붙은 그곳을 빠져나오면 신시가이 아케이드에서 시모도리 아케이드로 질러갈 수 있다. 아주 조금. 시간을 아낄 필요가 없었는데도 그 뒷골목이 좋아서 일부러 지나가곤 했다. 도장집에 양장점, 초밥집에 속옷 가게, 여러 가게가 늘어서 있었다.

속옷 가게는 가모이 요코의 브랜드 '튜닉TUNIC'을 취급

했다. 가모이 씨가 전후 일본의 속옷업계를 바꾼 인물이면서 문필가라는 사실은 성인이 된 후에야 알았다. 당시 튜닉의 파우치와 가방이 여고생들에게 인기였는데, 모두 가모이 씨를 잘 모른 채 들고 다녔을 것이다. 나는 프릴과 리본이 달린, 핑크색이거나 반짝거리는 파우치도 가방도 없었지만. 어릴 때부터 까무잡잡해 핑크색도 리본도 반짝이는 것도 어울리지 않아 그런 것에 익숙해지지 않은 채 크고 말았다. 속옷 가게는 지금도 건재하지만, 내가 다마야도리에서 서점을 운영한 지 몇 년이 지난 뒤 이전했다. 그리고 나 역시 문을 연 지 15년이 지난 후의 가을에 다마야도리를 떠났다.

전쟁이 끝나자마자 늘어선 판잣집들이 판자촌을 이루면서 생긴 길이라고 들었다. 좁지만 어쨌든 아케이드가 붙어 있다. 군데군데 비가 새는 아케이드. 맞은편에서 오는 사람과 스칠 때는 약간 긴장할 정도로 좁은 길. 외벽에 페인트칠을 하고 있을 때, 새로 뭐가 생기냐는 질문을 받았다. 근처 가게에서 기대하고 있다는 말을 듣기도 했고, 페인트 냄새 때문에 머리가 아픈데 언제 끝나냐는 짜증 섞인 말을 듣기도 했다. 벽과 천장, 창틀 등 손이 닿는 데까지 페인트를 칠했지만, 오래된 건물이라 한 번 칠해서는 말끔해지지 않았다. 그래서 하얗게 될 때까지 덧칠을 하는 바람에 꽤 시간이 걸렸다.

처음 카페를 시작했을 때도, 옆 점포를 빌려 서점을 만들었을 때도, 이전한 새로운 곳도 모두 같은 인테리어 업체에 맡겼다. 짧은 미팅에서 사장인 무라모토 씨는 흐릿한, 윤곽 없는 구름 같은 요구사항을 언제나 정확하게 이해해주었다. 처음 만났을 때는 무뚝뚝한 모습에 약간 주눅이 들기도 했지만, 동시에 전문가다운 면모에 마음이 놓이기도 했다.

왜 무작정 카페를 시작하게 되었느냐 하면, 그 장소를 봤기 때문이다.

그즈음 다니던 회사를 그만두고 일단 단기 아르바이트를 하고 있었다. 카페를 하겠다고 말한 것도 아닌데, 다마야도리에 빈 점포가 있는데 한번 가보지 않겠냐는 권유를 받았다.

가본다 한들 돈도 없는데 하고 주저하는데, 보기만 하는 건 공짜라는 말에 가서 보고 말았다.

수예점이었다는 그곳은 혼자 쓰기에는 쓸데없이 넓

고 낡았지만 매력적이었다. 열 곳 정도의 점포가 '나가야長屋'(각각 출입문이 있는 여러 세대가 나란히 이어져 있으면서 외벽을 공유하는 형태의 집합주택—옮긴이)처럼 빈틈없이 늘어서 있었는데, 그중 2층 건물이었다. 2층으로 올라가는 계단은 삐걱거리고, 천장은 낮고, 입구의 바닥은 수십 년 동안 이어진 사람들의 발걸음에 반질반질해져 짙은 색을 띠고 있었다. 아무도 쓰지 않는 로커가 버려져 있고, 죽은 벌레가 흩어져 있으며, 약간 눅눅한 냄새가 났다. 어렴풋하게나마 짐승 냄새도. 2층 벽 틈에서는 누렇게 변색된 바싹 마른 신문지 조각이 떨어졌다. 계단 아래의 창고에는 언제부터 있었는지 알 수 없는 미싱용 기름 깡통이 녹슬어 있었다. 그 장소의 지난 시간을 모아둔 것 같은 건물이었다.

지금까지는 그저 지나치던 곳이었는데 바로 마음을 빼앗기고 말았다. 무엇을 할 건지 목표도 없으면서 여길 빌리고 싶다는 생각을 하고 말았다.

갑자기 카페를 시작할 마음이 생겼지만, 돈은 없었다. 계획도 전망도 없었다. 금방 시들해질 것 같았는데, 매물 정보를 알려준 사람이 기업 지원 같은 대출을 받으면 된다고 알려주었다. 자영업자라 그런 제도를 잘 알고 있었다. 그렇게 간단하게 이야기하지 않았다면 분명히 포기했을 것이다. 한때의 망설임과 다를 바 없는 생각을 진짜로 실행에 옮긴 건, 지금 생각하면 잠깐 정신이 나갔던 것 같기도 하지만, 용기를 낼 수 있게 북돋워준 것은 매우 고맙게 여기고 있다.

나조차 이렇게 생각할 정도니 주변에서는 한술 더 떠 일이 잘못됐다고 생각했는지, 특히 자매들의 반대가 거셌다. 상의하는 게 아니라 통보라고 기세 좋게 말했지만, 입장을 바꿔 생각해 보면 나 역시 반대했을 것이다. 반대한다는 건 걱정하고 있다는 것이라는 걸 나중에야 깨달았다.

공사 현장에 가고 비품을 사 모으는 등 개업 준비를 하던 즈음, 훗날 9.11로 불리는 테러가 일어났다. 집에 돌아와 카페의 메뉴라도 궁리해 보자며 담요를 걷지 않은 고타쓰에 앉아 별생각 없이 텔레비전을 켰다. 쌍둥이 빌딩에 비행기가 충돌하는 화면이 나왔다. 지금은 없지만, 그때는 집에 텔레비전이 있었다. 집에 텔레비전이 있으면 아무 생각 없이 전원 버튼을 누르고 만다. 그때도 습관적으로 텔레비전을 켰고 처음에는 영화인가 했다. 카페 일로 머리가 꽉 차 같은 영상이 반복되고 있는 것을 한동안 알아차리지 못했다.

화면이 바뀌지 않는다는 것을 간신히 알아차리고, 무슨 일이 벌어진 건지 알게 된 다음부터 머리가 복잡해졌다. 멀리 떨어진 이국땅에서 한 번도 본 적 없는 많은 사람이 죽었고, 그 죽음은 결코 우리와 아무 관련이 없다고 할 수 없었다. 메뉴 따위를 궁리할 때인가 싶어 마음이 불편했다. 그런 일이 벌어졌는데도 대부분 술렁이는 마음을 집어넣고 회사에 가고, 학교에 가고, 사회는 아무 일 없다는 듯 돌아갔다. 그리고 그로부터 열흘 후 카페 문을 열었다.

개업 준비를 하던 무렵의 일을 돌아보면 그 충격적인 영상이 머릿속에 맴돈다. 좋은 일은 아닐지도 모르지만, 잊고 싶다고 생각하지 않는다. 이 세상에는 일상이 비일상이 되는 순간이 있다. 그걸 잊고 싶지 않다.

무라모토 씨에게 공사를 맡긴 건 세 번째라 새 공간은 처음부터 여기에 있었던 것처럼 낯선 느낌이 없었다. 많은 것을 설명하지 않아도 어떤 분위기를 원하는지 정확히 알아차려서 쓰임새가 좋은 공간이 되었다. 무라모토 씨도 여긴 정말 아늑한 곳이라고 했다. 공사 중에는 지친 무라모토 씨와 목수들이 벤치와 의자에 드러누워 쉬기도 했다. 아직 여름의 열기가 남아 있었지만, 두 군데의 창문으로 바람이 통해 기분이 좋았다. 그들은 구마모토 지진 후 쉴 틈도 없이, 이러다 쓰러지는 건 아닐까 걱정이 될 정도로 끊임없이 일을 하고 있었다. 나 역시 공사를 부탁한 한 사람이라 이런 말을 할 자격은 없지만.

새 공간에서 영업을 재개하기 전날, 손님들을 초대해 작은 파티를 열었다. 예정에 없던 일이라 바로 연락이 되는 사람들만 불렀다.

다시 영업을 하기로 했지만 아직 남은 공사가 있었다. 자잘한 부분까지 신경 써주었지만, 밤이 되자 무슨 까닭인지 수도관이 막혀 무라모토 씨가 밤새도록 주방에서 씨름했다. 덕분에 파티 당일에는 수도를 쓸 수 있었다.

파티에는 무라모토 씨도 와주었다. 카운터 바에 늘어서 있던 선물로 들어온 술병이 차례차례 빈 병이 되면서 사람들은 기분 좋게 취했다. 사람들이 왔다 갔다 하며 늘었다 줄었다 하는 통에 몇 명이 있는지 전혀 알 수 없었다. 열 명 남짓 남았을 때 저 사람 괜찮을까, 라는 소리가 들렸다. 돌아보니 무라모토 씨가 바닥에 엎드려 자고 있다. 바닥이라고 해도 타일 카펫 위라 불편해 보이지는 않았다. 일단 상태를 살펴보니 숨은 쉬고 있고 힘든 기색은 없었다. 엄청 고단했나 봐. 누군가가 말했다. 다들 돌아갈 때까지 일어나지 않으면 우리가 챙길 테니까. 그렇게 말해준 사람들이 있어 마음 놓고 자게 내버려두었다. 자는 모습을 보고 있자니, 눈 코 뜰 새 없이 바쁜데도 무리해서 일을 받아준 게 진심으로 고맙다는 생각이 들었다.

카페를 하겠다고 마음먹었을 때, 아무것도 아는 게 없었다. 무계획에, 진지하게 생각하지 않고 일을 진행하고 있었기 때문에 막상 손님을 맞이할 날이 가까워지자 역시 불안해졌다. 카페의 메뉴를 만들어보며 마실 만한 것인가 자문자답하거나 친구에게 물어보곤 했다.

그때 무라모토 씨가 해준 말을, 무라모토 씨는 기억하지 못하는 것 같지만, 지금도 가끔 떠올린다.

하면서 프로가 되는 거니까 괜찮아.

카페를 시작했을 때, 이 말은 부적이었다.

돈치 씨

점심때가 지나 갑자기 돈치 씨가 들이닥쳤다. 들이닥쳤다고 하니 왠지 무례한 말 같지만, 문이 열리고 돈치 씨의 얼굴이 눈에 들어온 순간 그런 생각이 들었다. 서점이니까 누구나 마음대로 들어올 수 있는데 말이다.

돈치 씨는 '돈치 피클'이라는 예명으로 활동하는 우쿨렐레 연주자다. 가끔 우리 서점에서도 라이브를 한다. 후쿠오카에 살고 있지만, 일본 전역을 여행하면서 노래한다. 그래서 구마모토에서 연주를 할 때는 불쑥 들른다. 큰 짐을 안고 근처에 사는 아저씨 같은 모습으로 오기 때문에 뭐랄까 어쩐지 혼란스럽고 헉 갑자기……란 생각이 드는지도 모른다.

1년 만이네요, 라고 할 때도 있는가 하면 지난번에 만났는데 싶은 때도 있다. 얼마 전에는 "5분밖에 시간이 없지만 아이스 커피 주세요"라고 말하며 들어와 정말 바로 돌아갔다. 라이브를 하기 전 빈 시간에 들른 것 같지만, 시간이 없는 와중에 고마운 일이었다.

이번에는 여유가 있었는지 오랜만에 느긋하게 이야기를 나눌 수 있었다. 손님이란 불가사의한 존재로, 어떤 사람을 생각하고 있으면 그 사람이 나타나는 일이 자주 있다. 만나자마자 어제 ○○ 씨 생각했다고 말하면 일부러 그런 것 같은 느낌이 들지만, 정말 그렇기 때문에 어쩔 수 없다. 그렇다고 해서 고의로 누군가의 뒷담화를 했는데 그 사람이 나타나는 경우는 없다.

어젯밤, 돈치 씨를 생각하고 있었다. 위에 책을 겹쳐 쌓아서 열 수 없게 된 상자가 있어서 책을 모조리 치우고 오랜만에 열어보니, 사자마자 온데간데없이 사라졌던 돈치 씨의 시디가 나왔다. 그래서 잘 지내고 있을까 생각했던 것이다.

오랜만에 왔는데도 순식간에 카운터석에 녹아들어 연일 왔던 손님처럼 단골손님과 이야기를 나눈다. 카운터석에 앉아 있는 손님들 중 한 명은 우리 서점에서 일했던 치바 짱이다. 액세서리를 만드는 치바 짱은 구마모토에 올 때마다 늘 서점 갤러리에서 전시회를 한다. 명절 연휴이기도 해서 고향을 찾은 다른 손님들도 간간이 서점에 나타났다. 어서 와, 오랜만이다. 이런 말이 귀에 들어왔을 것이다. 돈치 씨가 여긴 학교 같은 곳이네요, 라고 했다. 졸업생이 인사하러 온 것처럼 보였던 모양이다.

돈치 씨와 알고 지낸 지는 꽤 오래됐다. 여기서 처음 노래했던 건, 개업 직후로 예정에 없던 일이었다. 처음부터 홀연히 나타났다. 근처 공원에서 길거리 라이브를 하고 있는데 그쪽에 가도 되냐고 그날 가게에서 공연을 한 사람에게 연락했었다. 연락을 받은 제로키치 씨도 우쿨렐레를 연주하는 사람. 제로키치 씨와도 아주 오래 알고 지내고 있다.

돈치 씨의 라이브는 유머, 음담패설, 랩이 있고 관객이 많든 적든 언제나 변함없이 즐겁게 해준다. 누구랑 공연하든 하나로 어우러질 수 있는 사람이다. 가볍고 제멋대로인 사람처럼 보이지만 프로구나, 하고 언제나 감탄한다.

돈치 씨에게는 늘 함께 다니는 동료가 있다. 강아지 인형 '우쿠 짱'이다. 귀여운 얼굴로 싫은 소리를 하는 인기스타다. 어느 날, 우쿠 짱을 닮은 인형을 발견했다. 서점에서 하고 있던 자선 행사 물품 중에 있었다. 마침 돈치 씨의 라이브가 있던 날이라 신이 나서, 닮았으니까 돈치 씨에게 주자고 했다. 네팔에서 만든 그 인형은 50엔의 헐값에 판매되고 있었다. 돈치 씨는 역시 프로 엔터테이너로 즉시 '네파짱'이라는 이름을 붙이고 바로 라이브에 출연시켰다. 지금도 데리고 다니는 듯한데, 가끔 우리 서점에도 온다.

그 사람은 시인이에요. 늘 라이브를 보러 오는 손님이 돈치 씨를 두고 이렇게 말했다. 대학에서 문학을 가르치고 있는 분이니, 말과 글 해석하는 걸 생업으로 삼고 있다. 그런 사람이 여기서 듣는 노래 중 제일 좋다고 말한다. 노래를 만들면 시인이라는 뜻은 아니다. 글을 잘 다루는 것만으로는 물론 시인이 되지 못한다. 자, 그럼 어때야 시인인가, 하고 물어보면 설명하기 어렵지만 나 역시 돈치 씨는 시인이라고 생각한다.

라이브에서 낭독을 할 때도 있다. 신청곡을 받을 때 부탁하는 낭독인데, 돈치 씨가 경비원으로 일했을 때의 경험을 쓴 것이다. 함께 일하던 사람이 밤의 어둠 속에서 갑자기 탭댄스를 선보인 이야기. 세세한 부분은 다음 날 완전히 잊어버리지만, 어둠 속에서 발이 떠오르는 모습만큼은 두고두고 남아 있다. 보지 못했지만, 보인다. 지면을 박차는 그 발을, 일순간, 분명히 보고 있다. 그 발이 사라지지 않도록, 다시 듣고 싶다고 조른다. 세세한 부분은 또 잊어버리겠지만.

한번은 출근하다가 돈치 씨를 본 적이 있다. 비즈니스호텔에서 나오는 중이었다. 거기 있는 게 당연한 것처럼 강가를 걷고 있었다. 아아, 오늘도 역시 돈치 씨가 있네. 그렇게 생각했다. 분명, 낯선 거리에서 봐도 그렇게 생각할 것이다. 어디에 있어도 그곳은 돈치 씨의 거리가 된다. 오늘도, 아마 어딘가의 거리에서 노래하고 있을 것이다. 그 거리의 누군가가 웃거나 서글퍼 하고 있을 것이다. 어쩌면 눈물을 흘리고 있을지도 모른다.

돈치 씨에게는 돌아갈 곳이 많다.

재회

노리 짱과 치바 짱은 생일이 같다. 둘 다 20대에 우리 서점에서 일했다. 지금은 아줌마라고 해도 이상하지 않은 나이가 됐다. 물론 나도 나이를 먹었다. 두 사람 다 처음에는 손님으로 왔었다. 애당초 개업 이래 직원 모집 공고를 낸 적이 없다. 어찌 된 일인지 일할 사람이 나타나거나 손님이 직원으로 일하게 되었다.

일한 기간은 두 사람 다 그리 길지 않지만 그만둔 뒤에도 계속 인연이 이어지고 있다. 노리 짱과 치바 짱뿐 아니라 함께 일했던 모든 사람과 연락하고 있다. 얕은 인연이든 깊은 인연이든.

구마모토에 올 때는 저마다 잠깐 들리거나 불쑥 놀러 오기도 한다. 나는 언제나 서점에 있으니 그럴 때마다 만나지만, 직원들끼리는 타이밍이 맞지 않으면 만나지 못한다. 우연히 모여도 두세 명이다.

어느 해 봄, 구마모토에 오는 시기가 모두 겹친 적이 있다. 드문 일이니까 구마모토에 살고 있는 전前 직원도 불러 하루 정도 전부 모이기로 했다. 그날은 카운터석이 전직 직원들로 가득 차서 동창회처럼 떠들썩했다. 간간이 단골손님도 합세해 떠들썩하기는커녕 시끄러울 정도. 좀처럼 없는 일이라 찬물을 끼얹는 말도 할 수 없었다. 안쪽 자리에서 일을 하고 있던 손님에게 시끄럽게 해서 미안하다고 몰래 사과했다. 그때를 떠올리면 "지지배배 아기 종달새"라는 가사가 떠오른다. 구마모토 민요 〈오테모얀おてもやん〉의 가사. 오랫동안 만나지 못한 사람들도 있어서 대화가 끊이지 않는다. 저마다의 휴대폰에 담긴 사진은, 모두 싱글벙글 웃고 있다.

『나는 아버지가 하느님인 줄 알았다』(열린책들, 2004)라는 책이 있다. 작가 폴 오스터가 라디오 방송을 통해 미국

전역에서 모은 '보통 사람들의 보통이 아닌 이야기'를 골라 편집한 책이다. 웃긴 이야기, 기적 같은 이야기, 두서없는 이야기, 가슴을 죄는 듯한 이야기 180개의 리얼 스토리. 이 책을 읽은 지 10년도 훨씬 지났지만, 몇 가지 잊을 수 없는 이야기가 있다. 그중 하나는 「크리스마스 전 수요일」.

화자는 성가대 연습을 마치고 친구와 교회 주차장에서서 잠시 이야기를 나눈다. 밤이 깊었는데, 빨간 지프가 천천히 주차장으로 들어와 그들을 보자 방향을 바꿔 사라졌다. 이상하다. 교회라서 문은 언제나 열려 있다. 술에 취한 사람이나 좀도둑이 들어오는 일은 있지만, 고급차가 지나가다니 어쩐지 이상하다. 그렇게 생각한 그는 주위를 한 바퀴 둘러본 후 교회로 돌아갔다. 예배당 출입구 옆에 아까 본 지프가 주차되어 있고, 교회에 불이 켜져 있었다. 불안감을 감추지 못한 채 안으로 들어가 일부러 소리를 내며 가까이 가니, 한 쌍의 남녀가 제단 옆에 있었다. 안면이 있는 부부였다. 두 사람 다 새 장난감으로 가득한 거대한 쇼핑백을 들고 있었다. 예배당에는 대형 크리스마스트리가 있다. 트리는 '어린이 장난감 프로그램'의 접수처로 트리 밑에 선물을 둘 수 있게 되어 있었다. 두 사람은 한창 장난감 상자를 쌓고 있는 중이었다. 아내는 겸연쩍은 듯 미소 지으며 손가락을 입에 댔다. “부탁드려요”라고 그녀는 말했다. “아무에게도 말하지 말아주세요.” 화자는 아무 말 없이 고개를 끄덕이고 자리를 빠져나왔다.

그 부부에게는 아이가 없었다. 불임이었다. 화자는 이 이야기를 이렇게 이어나갔다.

> 이 이야기에 결말은 없다. 단순한 일이다. 하지만 차를 몰고 집으로 향하는 동안 나는 어깨를 들썩이며 오랫동안 울었다.

이 이야기를 다시 읽으며, 잘못 기억하고 있다는 것을 깨달았다. 그 부부를 보게 된 것을 후회하며 울었다, 라고 쓰여 있다고 믿고 있었다. 지금은 화자가 울게 된 이유 따위는 생각하지 않는다. 눈물을 흘렸다는 것, 그 자체에 의미가 있다고 생각한다.

보통 사람, 보통의 인생이란 건 없으며 모두 저마다의 삶이 있다. 누군가의 인생에 일어난 작은 이야기가 세상을 만들고 있다.

폴 오스터의 책을 읽으면서, 나라면 그 라디오 방송에 어떤 사연을 보낼까 하고 생각한다. 내 삶에 일어난 몇 가지의 이야기. 하지만 나한테 일어난 것보다 더 알맞은 이야기가 있다. 노리 짱과 치바 짱의 이야기.

치바 짱은 액세서리를 만든다. 구마모토에 올 때마다 우리 서점에서 전시회를 한 지 10년 가까이 됐다. 노리 짱도 무언가 만드는 일을 하게 됐다. 노리 짱은 다양한 걸 만드는데 액세서리도 만든다. 둘 다 결혼해서 요코하마와 나라에 살고 있다. 둘 다 비슷한 시기에 서점에 왔는데, 신기하게도 공통점이 많다. 사근사근하고 서글서글해 보이지만 심지가 굳고 의외로 완고한 면이 있다. 생일이 같아서 비슷한 걸까?

두 사람은 생일뿐 아니라 나이도 같다. 지금은 절친이지만, 처음부터 친구였던 건 아니다. 서점에서 알게 된 사이다. 생일이 같다는 걸 알게 되었을 때 나이도 비슷하지 않냐고 물어봤는데 같은 해였다. 혹시 같은 병원에서 태어난 건 아닐까, 라고 농담을 던졌는데 정말 같은 병원에서 같은 날에 태어났다.

그날 그 병원에서는 세 명의 아기가 태어났다고 한다.

여자 아기 둘과 남자 아기. 여자 아기 둘은 26년 만에 우리 서점에서 다시 만났다. 지금은 사이좋은 자매처럼 보인다. 갓 태어났을 무렵에는 이웃한 아기 침대에서 자고 있었을지도 모른다. 이제 이 세상에 없는 노리 짱의 어머니는 치바 짱의 어머니와 이야기를 나눈 적이 있을지도 모른다.

노리 짱과 치바 짱은 만날 수밖에 없는 운명이었다고 생각한다. 만나게 될 사람은 만난다. 비슷한 것을 원했기에 저마다 같은 곳에 이르렀다. 서로 친밀하게 여기니까 멀리 떨어져 살아도 인연은 끊어지지 않는다.

같은 날 태어난 두 사람은 어딘가 닮았다. 공통점이 있다고는 하지만 만드는 건 전혀 다르다. 누가 만든 건지 바로 알 수 있다. 똑같은 건 쓰는 사람을 소중히 여긴다는 것이다. 액세서리를 구입하는 손님의 이야기를 둘 다 기쁜 마음으로 듣는다.

요즘 나는 두 사람이 만든 액세서리만 한다. 산 것도 있고, 생일이나 축하할 일이 생겼을 때 받은 것도 있다. 노리 짱과 치바 짱의 액세서리를, 매일 부적처럼 하고 있다.

다시 읽기

서점에 두어 번 왔던 여자 손님이 『고해정토: 나의 미나마타병』(달팽이, 2022) 문고판을 구입했다. 그녀는 언제나 서가 사이를 왔다 갔다 하며 천천히 책을 고르고, 가끔 전에 사 간 책의 감상을 들려주기도 한다.

젊은 손님이 이시무레 미치코 씨의 책을 사면 기분이 좋다. 하지만 처음 읽는 이시무레 미치코 씨의 책이 『고해정토』라니 괜찮을까, 슬며시 걱정이 되기도 한다. 누군가 이시무레 미치코 씨의 책을 읽어보고 싶은데 어떤 게 좋을지 추천해달라고 하면 『음식 준비 소꿉놀이食べごしらえ おままごと』

와 『동백 바다의 기록椿の海の記』을 권할 때가 많다. 문고판이 있어 구입하기 쉽고, 나중에 이시무레 미치코 씨의 다른 책을 읽을 때 그 세계에 들어가기 쉽다는 생각에서다. 『고해정토』를 읽다가 고통스러운 나머지 더 이상 읽지 못하고 그대로 두었다는 소리를 몇 번 들었다. 그런 사람은 이시무레 미치코 씨의 다른 책도 읽지 않게 된다.*

그 손님은 차도 주문해서 마시며 구입한 책을 잠시 읽고 있었다. 그 사이에 이벤트 티켓을 찾으러 온 손님이 있었다. 구마모토문학대 주최로 연 1회 〈지금 이시무레 미치코를 읽다〉라는 행사를 개최하고 있는데 그 예매권이다.

구마모토문학대는 시인 이토 히로미 씨가 주축이 되어 결성한, 문학을 부흥시키기 위한 '비밀 결사'다. 뭐가 어떻게 비밀인지 물어봐도 대답하기 곤란하다. 이토 씨가 비밀 결

---

*『고해정토』는 1956년 신일본질소비료주식회사가 무단 방류한 유기수은에 오염된 조개와 생선을 먹고 미나마타병이 집단 발병한 구마모토현 미나마타시 주민들을 취재해 쓴 책으로, 일본 기록문학의 걸작으로 꼽힌다—옮긴이

사라고 말하니까. 다이다이 서점은 구마모토문학대의 사무국이기도 하다. 사무국은 히사코 씨네가 좋지요. 감히 토를 달 수 없는 이토 씨의 한마디로 그렇게 되었다.

문학대로서 여러 일을 해왔지만, 역시 이시무레 문학을 잇는 게 가장 중요하지 않을까란 생각에 이르렀다. 그래서 수년 전부터 작가와 연구자로부터 이시무레 씨의 작품에 대해 듣는 '이시무레 대학'이란 행사를 열고 있다. 다시 말해, 여러분 이시무레 씨의 책을 읽어보지 않겠습니까, 라는 모임이다. 요즘이야말로 이시무레 씨의 말이 필요하지 않을까란 생각에 문학대 사람들과 하고 있다.

이번 이시무레 대학의 테마가 마침 『고해정토』라서 티켓을 사러 온 손님과 이야기를 나누게 되었다. 젊은 시절에 읽었을 때는 괴로웠지만, 시간이 흘러 다시 읽으니 달리 느껴지지 않느냐며 서로 고개를 끄덕였다. 처음 읽었을 때는 그저 슬프고 괴로웠다는 기억밖에 없다. 하지만 마흔을 넘긴 즈음에는 문득 이시무레 씨가 이 책을 쓰기 시작한 나이를 넘어섰다는 걸 깨닫고 다시 읽고 싶어졌다. 그래서 다시 읽으니 이렇게 재미있는 책이었나 싶어 놀랐다. 괴로움, 슬픔, 분노 등을 느끼면서도 자연스럽게 그런 생각이 들었다. 가까스로 논픽션이 아니라 문학작품으로 읽은 것이다.

젊은 시절에는 읽으면서 피해자 쪽에만 감정이입을 했다. 피해자의 고통을 진심으로 이해할 리 없음에도 아는 것처럼 분노했다. 그러나 우리들은 피해자가 될 가능성이 있는 한편, 자신도 모르게 가해자가 될 수도 있다. 그리고 당사자가 되지 않는 한 피해자의 마음 등을 이해할 수 없다.

미나마타병 환자 오가타 마사토 씨가 "질소(신일본질소비료주식회사)는 나였다"라고 말한 것처럼, 내 안에도 신일본질소비료주식회사가 존재한다. 사회 곳곳에 신일본질소비료주식회사 같은 존재가 있다. 그게 이제야 조금씩 보이기 시작했다.

『고해정토』의 세계는 어둠으로만 가득하지 않다. 아름답다고밖에 할 수 없는 정경이 있고, 토착의 힘이 있고, 익살스러운 인간의 모습이 있다. 인간의 모든 게 있을지도 모른다. 그래서 재미있다. 지금은 마음에 드는 시집처럼 가끔 읽고 싶은 부분을 펼쳐 소리 내 읽는다.

물괴기는 하늘이 주시는 거여. 하늘이 주시는 것을 공짜로,

우덜이 필요헌 만큼 잡아 그날을 살아가는 거여.

이보다 좋은 부귀영화가 시상 천지 어디에 또 있으까잉?

이시무레 씨가 쓴 이야기는 구마모토의 남쪽, 바다에 가까운 지역의 말. 내가 듣고 자란 강한 어투의 구마모토 사투리와는 조금 다르다. 다르지만, 닮았다. 무슨 뜻인지도 안다. 내가 아는 말보다 부드러운 그 이야기를 소리 내 읽어 보면, 그들의 이야기가 가슴에 사무친다. 사투리는 직접 해 보면, 한층 친근해진다. 눈으로 읽고 있어도 머릿속에 소리가 되어 울려 퍼진다. 구마모토 사투리를 모르는 사람에게도 통할 게 틀림없다. 영혼에서 우러나온 말은 전해지기 마련이다. 영혼이 다른 세계에 사는 사람과는 같은 언어로 말해도 전해지지 않는 게 있지만.

『고해정토』 중 「유키 이야기」는 몇 번이나 읽었다. 유키와 모헤이, 서로 배우자와 사별하고 어업 조합장의 주선으로 하나가 된 부부. 고기잡이를 하며 오붓하게 살던 두 사람을 정체불명의 병이 덮쳤다. 그러나 모든 것을 빼앗기면서도 유키가 말하는 바다에서의 생활은 생명으로 가득하다.

바다 위가 참말로 좋았제. 영감이 앞쪽 노를 젓고 나가 옆쪽 노를 젓고.

이맘때면 늘 오징어 다래끼며 낙지 잡는 단지를 설치하로 갔제. 숭어도 그렇고, 이 놈 저 놈 다른 물괴기들도, 낙지들도 을매나 이뻔지 몰라. 4월부터 10월까지 시시섬 바깥바다는 참 잔잔헌디…….

차를 마시며 책을 읽던 손님이 돌아갈 채비를 시작했다. 계산할 때 학생이냐고 묻자 대학교 4학년이라고 했다. 이시무레 미치코 씨의 책을 처음 읽는다고 하기에 어떠냐고 물어보니, 조금 읽었지만 괴롭다고, 걱정했던 그대로의 답이 돌아왔다. 끝까지 읽지 못하더라도 나이가 든 뒤에 읽으면 다르게 느껴질 수도 있으니 그때 다시 읽어보세요. 이렇게 말하자, 괴롭지만 끝까지 읽을게요, 하고 눈을 맞추며 말해주었다. 괜한 걱정을 했다.

하지만 언젠가 할머니가 되어 다시 읽어주면 좋겠다. 나도 자주 부분 부분 골라서 읽고, 이따금 처음부터 끝까지 읽으며, 앞으로도 몇 번이고 다시 읽을 것이다. 그들의 말에 질릴 일은 없다.

금목서

금목서가 두 번 피는 해가 있다는 거 알아?

서점 일을 도와주던 친구가 알려주었다. 그녀와 만난 지 벌써 30년 가까이 됐다. 첫 직장의 동료였다. 서로의 일과 집안 사정으로 자주 만나지 못한 시기도 있었지만, 서점을 시작하면서부터는 자주 만나고 있다. 아이를 데리고 올 때가 있는가 하면 시간을 내서 혼자 올 때도 있다.

오랫동안 일한 직원이 고향으로 돌아가게 되었을 때 문득 그녀의 얼굴이 떠올랐다. 집안 사정상 긴 시간 일하는 게 어렵다는 건 알고 있었지만, 그녀의 사정에 맞추면 괜찮을지도 모른다. 과감하게 물어보니 일하겠다고 했다.

그녀의 집은 근처에 큰 호수가 있고, 시내에서 그리 떨어져 있지 않은데도 녹음이 우거진 곳에 있다. 정원에는 나무를 심었고, 자그마한 텃밭도 가꾸고 있는 모양이다. 그래서 여러 새가 정원에 날아온다고 한다. 아침에는 분주할 텐데 꺾은 꽃과 텃밭에서 딴 피망, 가지치기한 정원수의 가지…… 자주 가져온다. 오는 길에 떨어뜨린 걸 출근한 뒤에야 알아차리고 아쉬워할 때도 있다. 자연을 가까이 하며 자란 친구라 서점에도 작은 초록을 부지런히 갖다 나른다.

요전에는 금목서를 들고 와서 올해는 꽃이 두 번 피었다고 했다. 두 번 필 때는, 처음 핀 꽃은 금방 지는 모양이다. 그러고 보니 이웃의 금목서도 향기를 내뿜고 있었다. 꽃이 조금 늦게 피었다고 생각하던 참이었다. 그 금목서도 한 번 더 꽃을 피운 걸까?

금목서의 향기는 갑자기 날아든다. 지나는 길에 무심코 돌아보게 하는 미인처럼 향기로 돌아보게 한다. 그러면 거기에는 짙은 녹색 속에 작지만 뭉실뭉실한 오렌지색 꽃이 무수하게 피어 있다. 개화 기간이 짧아서 그저 지나치는 것만으로는 아쉬운 마음이 들어 깊이 숨을 들이마신다. 기억 속에 있는 금목서와 같은 냄새. 금목서의 향기는 누구나의 기억에도 있을 법해 서점 안에 장식해 두면 손님들의 혼잣말이 새어 나온다. 아, 금목서다.

어린 시절에는 지는 꽃부리를 손바닥에 주워 모아 꽃향기에 파묻혀 있었다. 몇 번이고 지나가니까 할 수 있었던 일. 눈 깜짝할 사이에 지는 꽃이라고 생각하고 있었는데, 어릴 때는 그렇게 생각하지 않았을지도 모르겠다. 지금은, 꽃이 시나브로 진다. 오렌지색이 사라지고 짙은 녹색만 남았을 때 꽃이 졌다는 것을 깨닫는다. 금목서가 지는 걸 지켜볼 수 없다니, 어른은 시시하다.

그 친구와는 젊은 시절 자주 같이 산책을 했다. 공원, 신사의 참배길, 미술관의 카페, 여행지의 해안도로. 자연이 있는 곳을 어슬렁어슬렁 걸었다. 하케노미야 공원에 몇 번인가 같이 갔었지. 공원 옆 레스토랑에서 오믈렛을 먹었지, 푹신푹신한. 이제 그 레스토랑은 없지만. 지금도 가끔 생각나 추억에 잠기곤 한다. 그 공원에는 수원水源이 있고 벚나무가 있다. 내가 어렸을 때만큼은 아니지만 지금도 잎이 무성하고 물이 솟아난다. 하케노미야 공원은 할머니네 집과 가깝고 내겐 소중한 곳이다. 여러 기억이 그곳과 겹친다. 처음 독립해 얻은 아파트도 근처에 있었다. 생각해 보면, 친해진 사람을 제멋대로 그 공원에 데려갔던 것 같다.

그녀도 나를 추억 깊은 장소에 데려가곤 했다. 그녀의 본가에 두 번 묵은 적이 있다. 그녀의 본가 바로 옆에는 강이 흘렀다. 지역의 경계에 있어 산으로 둘러싸인 곳이다. 밤의 고요함이 인상 깊었다. 강물이 흐르는 소리와 별빛, 벌레 소리가 칠흑 같은 밤의 어둠을 부드럽게 어루만지고 있었다. 처음 갔을 때는 그녀와 동료 한 명까지 셋이서 규슈 일주에 가까운 여행을 하고 있었다. 여행 중에 하루 신세를 졌다. 할머니는 아직 정정하시고, 남동생은 까까머리 중학생이었다. 그 남동생도 지금은 훌륭하게 가업을 잇고 있다. 그녀의 할머니가 유카타를 만들어주셨다. 바느질도 안 하면서 헐값에 팔던 옷감을 기세 좋게 사버리곤 어쩔 줄 몰라 하고 있었더니, 할머니한테 해달라고 할까, 라고 말해주었다. 그 유카타는 지금도 갖고 있다. 바탕은 황토색에 무늬는 검은, 완숙한 느낌의 유카타였기에 세월이 흐른 지금이 더 잘 어울릴지도 모른다.

떠날 때, 어머니가 오니기리를 싸주셨지. 지난번에 생각나서 물어보니 그랬나라며 그녀는 기억하지 못하고 있었다.

그녀의 본가를 떠올리면, 딱히 고향이란 걸 가져본 적 없는 내가 뭔가 부족한 사람 같다는 느낌이 든다. 간단히 말하자면, 부럽다는 거다. 하지만 그렇게 나눠 받은 그 지역의 기억도 나의 일부가 되었다.

나무에게 좋은 일인지 어떤지 모르겠지만, 금목서가 두 번 꽃을 피운다니 조금 득을 본 기분이다. 서점에서 시내로 가는 길에 있는 교차점 옆에 금목서가 있어서 장을 볼 때나 우체국에 다녀올 때 꽃을 만끽한다. 이때만큼은 신호를 기다리는 게 지루하지 않다. 오히려 아직 바뀔 때가 아니라고 생각해버리니 인간은 제멋대로인 존재다.

정원에 금목서가 있으면 꽃이 지는 때를 알 수 있을까? 그녀는 오렌지색 작은 꽃부리를 골라내 말끄러미 바라보거나 주워 모아서 향기를 맡을까? 다음에 꽃이 피면 물어보겠노라 생각한다.

녹색 의자

누구나 마음에 드는 자리라는 게 있는 듯하다. 어떤 자리가 편안한지는 사람마다 다르다. 같은 카운터석이라도 가장자리가 좋은 사람, 가운데가 좋은 사람 제각각이다. 이사를 하고 바로 모두 이 자리 저 자리 시험했다. 어느 자리가 편할까, 그렇게 말하며 여기저기 앉아보았다. 카운터석에만 앉던 사람도 창가에서 책을 읽거나 일을 했다. 전과 달리 어디에서도 카운터 쪽에 말을 걸 수 있게 되어서 떨어져 있어도 외롭지 않은 건지도 모른다.

어디나 그렇겠지만, 여러 번 가면 망설이지 않고 앉을

수 있게 된다. 처음 온 손님은 어디에 앉을까 두리번거린다. 앉은 후에는 역시…… 라며 자리를 바꾸는 사람도 있다. 나 역시 낯선 곳에 가면 주뼛거리며 바로 자리를 정하지 못한다. 망설인 끝에 가급적 눈에 잘 띄지 않는 자리를 고르고 만다.

서점에서 가장 앉기 좋은 자리는 책장 쪽에 있는 오토만이 딸린 녹색 의자일 것이다. 그 의자에 앉으면 모두 잠들 것 같다고 한다. 실제로 잠드는 손님도 가끔 있다. 나 역시 잠든 적이 있다. 아무도 없을 때 쉬려고 잠깐 걸터앉았다가 5분 정도 깜박 잠든 적이 있었다. 특기라고 해도 될지 모르겠지만, 아주 잠깐 선잠이 든 사이에 꿈을 꾼다. 그래서 그런 때 전화가 울리면 지금 어디에 있는지 자각하지 못하고 허둥거린다.

이 녹색 의자는 손님이 주셨다.

서점을 시작하려던 즈음, 시 낭송회에 갔다가 참석한 뒤풀이에서 비어 있는 옆자리의 점포 이야기가 나왔다. 당시 그곳은 자주 공실이었다.

책방이면 좋을 텐데. 한밤중에 살짝 벽에 구멍을 뚫어

책을 꽂아놓을까? 오렌지 옆에 만들 테니까 다이다이 서점(다이다이橙는 감귤류 중 하나로, 오렌지색·귤색·주황색을 뜻하는 다이다이이로橙色의 준말로 쓰이기도 한다. '오렌지'는 저자가 운영하는 카페의 이름이다—옮긴이)이라고 하면 어때? 이런 이야기를 반농담조로 하고 있었는데, 한 손님이 서점을 연다면 축하의 의미로 10만 엔 정도를 내겠다고 했다. 다른 사람들도 신이 나서 여기에 오는 작가가 돈을 내서 모두의 서점으로 하면 좋겠다는 등 들떴다. 물론 그날 밤은 거나하게 취한 사람들의 실없는 소리로 끝났다.

옆이 책방이라면 좋을 텐데라고 전부터 생각하고 있었다. 책방으로 딱인데. 그렇게 생각했었다. 잇따라 새로운 가게가 들고 나는 자리라 공실이 될 때마다 책이 들어차 있는 것을 상상했다.

당시 세 들어 있던 나가야 구조의 그 건물은, 옛날에는 1층에서는 가게를 하고 2층은 집으로 사용했다고 한다. 외벽과 지붕은 낡은 모습 그대로라 전쟁이 끝난 무렵을 상상하면 아이들의 목소리가 들리는 것 같았다.

지금은 대부분의 가게가 2층을 터서 천장이 높다. 물론 2층에 살고 있는 사람은 없다. 옆자리의 점포는 들어가자마자 바로 계단이 있고 올라가면 안쪽에 작은 다락방 같은 게 있어서 바로 앞에는 2층이 없고 천장이 높았다. 그 높은 천장에 닿을락 말락 한 서가를 만들면 되겠지. 출입구는 유리문이니까 책표지가 보이게끔 진열하면 바깥에서도 책을 보는 즐거움이 있지 않을까. 의자를 많이 둬서 느긋하게 책을 고를 수 있게 해야지. 벽에 구멍을 내서 드나들 수 있게 하면 직원이 많지 않아도 되니까 좋고…….

생각해 보니 직접 하면 좋겠다는 생각이 들어 낭송회로부터 며칠 뒤 은행에 대출을 받고 싶다고 전화를 하고 말았다. 온 세상이 크리스마스 일루미네이션으로 화려하게 빛나던 때였다. 신정 연휴가 끝나고 상담을 하러 오란 답을 들었다. 벽에 구멍을 내 서가를 만든다면 얼마나 걸리느냐고 인테리어 업체에 물어보니 현장을 보지 않고는 모른다며 바로 보러 왔다. 선달그믐에 손님들과 송년회를 하며 몰래 은행에 낼 사업계획서를 썼다.

처음 카페를 시작했을 때도 무계획적이었지만, 스스로도 이렇게 아무 생각 없이 일단 저지르고 보는 건 좀 심하다고 생각할 만큼 갑자기 시작하고 있었다. 그렇게 신정 연휴가 끝나고 임대차 계약서에 사인을 했다.

옆에 공사하던데 뭐가 들어온대? 출근한 직원이 물어보길래 빌려서 책방을 하기로 했다고 하자 놀랐다. 근처 이웃들도 모두 놀랐다. 대출 승인을 받은 뒤에 말하려고 했지만, 바로 공사를 시작하는 바람에 말할 틈이 없었다. 계약하고 열쇠를 받았다고 인테리어 업체의 무라모토 씨에게 연락하자 일주일 후에 다른 대형 공사가 있다고 해서 바로 다음 날부터 공사를 하게 됐다. 말하지 않았잖아, 라며 직원도 손님도 야단법석이었다. 나 역시 한 달 전만 해도 서점을 할 생각조차 없었기 때문에 놀란 건 마찬가지였다.

얼마 후, 서점을 한다면 10만 엔을 주겠다고 호언했던 손님이 왔길래 진짜로 하기로 했어요, 격려금 기대할게요, 라고 하자 당황한 모습이었다. 농담조로 한 말인데, 10만 엔은 주기 어렵지만 의자를 줄게요, 라고 한다. 꽤 고가의 의자다. 농담이에요, 괜찮아요. 그렇게 말하자, 쓰던 거고 너무 커서 중고로 팔까 했던 거니까 괜찮다며 정말 가져다주었다. 짙은 녹색이 아름다운, 폭신폭신하고 체구가 큰 사람도 푹 파묻히는, 오토만이 딸린 의자. 아직 책도 들어오지 않아 텅 빈 책장만 있었지만, 의자가 들어오자 순식간에 서점 느낌이 났다.

실은 그 의자에 나 때문에 생긴 그을린 자국이 있다. 처음 문을 열었던 해의 연말, 서점에서 일을 하고 있을 때 저녁거리를 사온 사람이 있었다. 같이 먹자고 한 것까지는 좋았는데, 급기야 와인도 따서 마신 게 잘못이었다. 저녁을 다 먹은 후, 그대로 일을 하다가 오토만에 기대 잠들고 말았다. 오토만이 히터에 가까웠는지 일어나 보니 천의 색깔이 살짝 갈색으로 변했다. 몹시 후회했지만, 이미 엎질러진 물. 염치가 없어서 의자를 선물한 손님에게 바로 말하지 못했다. 한참 지나 자백하니 알고 있었다고 했다. 알고 있었는데도 아무 말 없이 가만히 있었던 것이다.

그 의자에는 여러 사람이 앉았다. 작가와 시인과 사진가와 노래하는 사람에 그림 그리는 사람. 취해서 몸을 가누지 못하는 사람에 작은 아이. 사람뿐 아니라 고양이도 앉는다. 모두, 책장을 떠올릴 때 그 의자 역시 함께 떠올릴 게 틀림없다.

지난 세월의 길을 걷다

부탁이 있어. 평소처럼 차를 마시러 오신 와타나베 교지 씨가 오시자마자 말씀하셨다. 와타나베 씨가 몸소 하는 부탁이라면 듣지 않을 수가 없다. 뭔가 하니, 읽어보고 재미있으면 서점에 두지 않겠느냐며 책을 건네주셨다. 후쿠시마 지로의 『겐샤現車』라는 책이었다. 와타나베 씨가 예전부터 복간되길 바라던 책으로 나도 읽어보고 싶었다. 읽을 필요도 없다며 서점에 두겠다고 답했다. 전·후편 합쳐 본문이 2단 구성에 700쪽이 넘는 이 소설을 다 읽은 다음에 서점에 둘까 말까 생각한다면, 언제가 될지 모른다.

『겐샤』는 구마모토를 배경으로 메이지부터 쇼와 시대에 이르는 한 가족의 역사를 생생하게 그린 장편소설이다. 언제 다 읽으려나 했는데, 며칠 뒤 마지막 책장을 덮었다. 등장인물의 앞날이 궁금해 열중해서 읽었다.

이야기는 야마사키마치에서 시작된다. 배경이 구마모토라 익히 알고 있는 지명이다. 야마사키마치라고 하면, 구마모토 사람들은 그곳에 있는 지역 방송국을 떠올릴 것이다. 방송국에서 몇 집 건너 우리 서점이 있는데, 바로 거기라고 해도 거리의 이름이 다르다. 서점이 있는 곳은 렌페초라고 한다. 성곽도시로 조성된 신시가지와 구시가지라고 불리는 그 주위에는 옛날에 숱한 지명地名이 있었던 듯하다. 얼마 안 되는 구역을 가리킬 뿐인 지명도 있었던 것 같은데, 그 흔적일까? 지금도 조금 걷다 보면 마을 이름이 바뀐다. 노면전차 정류장에는 옛 지명의 흔적도 있다.

소설에는 그 후에도 사카에도리, 하나바타 공원 앞이라고 서점에서 몇 분이면 갈 수 있는 곳에 대한 서술이 이어진다. 중심가에서 떨어졌어도 고가이, 후지사키구, 니혼기…… 등 모르는 지명은 하나도 없다. 지명뿐 아니라 쓰루야 백화점, 덴키칸 극장, 니혼기의 옛 유곽……. 생각나는 곳이 잇달아 나왔다. 읽으면서 산책하고 있는 듯한 느낌이 들었다. 전쟁 중, 전쟁 후로 오랜 시간에 걸쳐 이야기가 펼쳐져, 물론 지금 도시의 풍경은 완전히 달라졌지만 흐르는 강, 우뚝 솟은 산, 강을 가로지르는 다리, 변하지 않은 것도 등장한다. 책을 읽으며 이렇게 뚜렷하게 눈앞에 풍경이 떠오르는 건 처음이었다.

그리고 말. 젊은 사람들 중에는 구마모토에서 나고 자랐다 해도 알아듣지 못할 수도 있을 정도로 히고肥後(구마모토의 옛 이름—옮긴이) 사투리가 펼쳐진다. 물론 나는 나이가 있어서 모르는 말은 거의 없다. 자랑은 아니지만, 네이티브라서 억양까지 재현할 수 있다. 틀림없이 타 지역 사람보다 더 생생하게 느꼈을 것이다. 걸렁한 대화문이 나오면 해보고 싶어진다. 몰입해서 해본다. 잘되지 않으면 두 번, 세 번 해본다.

시골에서 성곽도시로 나와 인력거꾼에서 작은 료칸의 주인이 된 쓰루마쓰와 그의 외동딸로 태어나 노름판의 설계자로 재산을 불렸지만 모조리 질이 좋지 않은 남자에게 퍼준 다미에. 이 부녀를 중심으로 다양한 인물이 뒤섞여 변두리의 생활이 세세하게 그려진다. 다미에의 모델은 작가의 어머니다. 아버지가 각기 다른 아이 넷을 낳고 파란만장한 인생을 살았다.

와타나베 씨는 다미에의 모델이 된 후쿠시마 하쓰에 씨를 인터뷰한 적이 있다. 사실이 얼마나 반영되었는지 확실하지 않지만 이 책을 읽고 하쓰에 씨에게 흥미를 느끼지 않을 사람은 없을 것이다. 다미에의 강렬한 개성은 읽는 사람을 끌어당긴다. 이렇게 막나가도 괜찮을까 생각하면서도 눈을 뗄 수 없다. '히고의 맹부肥後の猛婦'(정열적이고 뚝심 있는 구마모토 여성의 기질을 가리키는 말—옮긴이)라는 말이 있지만, 히고의 여자는 원래 강한 사람이 많은지도 모른다. 아니면 강해질 수밖에 없었던 걸까?

하쓰에 씨는 아들인 지로 씨에게 나는 어차피 제멋대로 살아온 인간이니 뭘 써도 괜찮다고 말했다고 한다. 이 이야기는 와타나베 씨가 창간에 관여했던 《구마모토 풍토기熊本風土記》에 실려 있다. 나는 1965년에 발행된 《구마모토 풍토기》의 창간호를 일면식도 없는 노령의 여성에게 받았다. 언제 죽을지 모르니까, 이 잡지의 가치가 알려지지 않아 버려지는 것보다 아는 사람에게 주고 싶다며 서점에 찾아 오셨었다. 감사한 마음으로 받았는데, 훗날 『고해정토』가 되는 이시무레 미치코 씨의 『바다와 하늘 사이에서海と空のあいだに』가

실려 있는 것에 흥분해 하쓰에 씨의 기사에는 그다지 눈이 가지 않았다. 『겐샤』에 실린 와타나베 씨의 해설을 읽고, 하쓰에 씨의 인터뷰 기사가 있다는 걸 퍼뜩 깨달았다. 재미있는 잡지란 발행된 지 몇 년이 지났어도 읽을 가치가 있다.

『겐샤』를 읽는 건, 줄거리를 쫓아가는 쾌감에 더해 과거의 구마모토를 찾아다니는 즐거움도 있다. 예전에 있었던 마을의 이름을 지금의 자리에 맞춰본다. 지금은 없는 이름. 쇼쿠닌마치, 우루야마마치, 시모오이마와시타바타초……. 그때와 지금은 보이는 풍경도 물정도 다를지 모르지만, 그 자리는 사라지지 않았다. 다미에가 서성거리는 길을 머릿속으로 따라가는 건 즐겁다. 그녀가 남자와 밀회하는 산중턱의 찻집에서 보이는 벚꽃. 그 산의 벚꽃을 나도 남자와 본 적이 있지, 하고 떠올리는 건 이상한 감각이었다.

와타나베 씨에게 이런 걸 열띤 목소리로 이야기했더니, 글로 쓰라고 하셔서 이렇게 쓰고 있다.

와타나베 씨를 만나지 않았다면 문예지 《아르텔アルテリ》도 만들지 않았을 테고, 아마 『겐샤』도 읽지 않았을 것이다. 와타나베 씨를 만난 지 얼마 안 됐을 때 왜 아무 글도 쓰지

않느냐는 소리를 들었다. 특별히 쓰고 싶은 게 없고, 쓰기보다는 읽고 싶다고 하니 글을 쓰라고 하셨다. 지금도 간절하게 쓰고 싶은 마음이 있느냐고 묻는다면, 있다고는 할 수 없다. 하지만 이렇게 쓰고 있다. 와타나베 씨는 나에게 한 말씀을 기억하지 못할지도 모르지만, 나는 자주 떠올린다. 그리고 그렇다면 써볼까 하고 생각하는 것이다.

비 내리는
책방에서

편지

편지는 좋아 / 편지는 좋아

편지는 좋아 / 편지니까 말이야

가끔 서점에서 공연을 하는 후치가미와 후나토 씨의 〈나에게 보내는〉이라는 노래의 가사. 콘트라베이스에 맞춰 노래하는 듀오다. 우편함을 열었는데 청구서나 광고 전단이 아닌 편지가 들어 있을 때, 이 가사가 떠올라 마음속으로 노래하기 시작한다. 누구나 그렇겠지만 편지를 받으면 기쁘다. 좋아하는 사람이 보낸 편지라면 더더욱. 그러나 나는 악필이라 편지를 쓰는 게 썩 내키지 않는다. 편지를 받은 사람이 도무지 읽을 수 없는 부분이 있어서 고생했다고 했을 정도라 겸손이나 뭐 그런 게 아니다. 휘갈겨 쓴 메모는 나도 알아보지 못할 때가 있다. 주문해야겠다고 생각하고 적어둔 책 제목을 아무리 애를 써도 알아보지 못해 주문을 보류한 경우도 있다.

정갈한 글씨로 선뜻 멋진 문장을 쓸 수 있다면, 편지를 받는 일은 한결 즐거울 거라고 생각한다.

우편함을 열었는데 새 그림이 튀어나온 적이 있다. 꽃이 새가 된 것 같은 파랑새. 다른 한 장은 눈이 멋진 올빼미. 화가 구로다 세이타로 씨가 보낸 편지였다. 새, 물고기, 배, 곰……, 구로다 씨의 그림이 가끔 우편으로 도착한다. 스케치북을 반으로 자른 것 같은 종이에 그림만 그려져 있다. 상자 뒷면에 그린 걸로 추정되는 것도 있다. 받는 사람의 이름도 그림처럼 보인다. 얼마 전에 도착한 것은 개의 해라서 그랬는지 개와 코요테였다. 달리는 것과 으르렁거리는 것. 첫 번째 편지는 구마모토 지진 후에 도착했다. 구로다 씨의 그림편지는 그 후로도 계속되고 있다. 그림 외에 아무것도 쓰여 있지 않아도, 구로다 씨는 오늘도 어디선가 잘 지내고 있다는 생각이 든다. 그리고 그림을 보면 나도 기운이 난다. 구로다 씨는 편지가 좋다고 했었다. 하지만 받을 때마다 답장하지 않아도 된다고 한 것을 구실로 삼아 나는 좀처럼 답장을 하지 않는다. 그림을 보며, 이런 편지를 쓸 수 있다니 부럽다고 생각할 뿐이다.

여행지에서 보낸 편지를 받는 건 책을 읽는 것과 비슷하다. 편지지만 이쪽은 답장을 할 수 없다. 읽고, 그곳의 땅과 사람을 생각한다. 일본은 섬나라라서 어느 나라에서 오든 바다를 건너온다. 전에 인도에서 온 편지는 풀을 찾지 못했는지 밥풀로 봉해져 있었다. 중국에서 온 편지에는 우롱차가 됐을 찻잎이 들어 있었다. 오지에 있어서 우체국을 찾느라 애를 먹었다고 나중에 들었다. 모두 소중한 여행의 시간을 나눠주고 있다. 편지보다 여행 당사자가 먼저 오는 경우도 있다. 엽서 도착했어, 라고 물어서 아직이라고 하면 실망한다. 하지만 여행담을 듣고 나서 편지가 도착하는 것도 좋은 일이다. 편지는 편지를 보낸 사람보다 긴 여행을 하고, 아득히 닿는다.

그러고 보니 여행지에서 편지를 쓴 적이 없다. 멀리 떠나본 적이 거의 없어서 그렇다. 언젠가는 처음 간 도시에서 편지를 써보고 싶다.

〈나에게 보내는〉의 가사는 이렇게 이어진다.

먼 곳에 있는 네 소식이 내가 사는 곳으로 실려와
그러자 그때 내 앞에 네가 나타났어
그러니까 나에게 편지를 써
꼭 나에게 편지를 써

구로다 씨의 그림편지가 우편함을 비집고 나와 떨어지면 구로다 씨뿐 아니라 새가 나타나고, 꽃이 피며, 개가 짖는다. 배가 출항하고, 초목이 움튼다.

지금처럼 매일 메신저로 연결되고, 얼굴을 보면서 통화를 하고…… 그런 게 당연하지 않았을 때, 멀리 떨어져 있는 누군가와 편지를 주고받는 건 얼마나 사람과 사람을 가깝게 했을까. 컴퓨터와 스마트폰으로 쓴 글자가 아니라 한쪽으로 쏠리거나 삐뚤빼뚤한 글자. 조급하게 써서 알아보기 어려운 글자. 그걸 지긋이 바라본 끝에 뭐라고 썼는지 알았을 때의 기쁨.

서점 일에 필요해서, 당연하지만 메일도 주고받고 있다. 스마트폰이 있다고 하면 왜 그런지 다들 놀라지만, 잘 쓰고 있다. 하지만 일대일이 아닌 응대는 거북해서 라인도, 트위터도, 페이스북도 하지 않는다. 굳이 말하자면, 이벤트 안내나 서점 정보를 올리는 용도로 사용해야 하지만 하지 않아도 아직 망하지 않았으니 괜찮지 않나 생각하고 있다. 가끔, 연락하기 번거로우니까 라인 좀 하라는 소리를 듣지만, 불편할지라도 괜찮다. 친구도 적어서 상관없다. 친구란, 친구가 되어달라고 해서 되는 게 아니란 생각이 든다.

하지만 내가 잘 쓰지 못한다고 해서 SNS가 불필요하다는 건 아니다. 확산되지 않으면 안 되는 정보가 있고, 확실히 누군가의 불특정다수를 향한 말이 가슴을 울리는 일도 있다.

얼마 전, 손님이 『바나의 전쟁Dear World』이라는 책을 빌려주었다. 바나는 시리아 난민으로 내전 중인 시리아에서 영어를 할 수 있는 엄마의 손을 빌려 알레포의 모습을 트위터로 전했다.

우리는 서서히 죽고 있어.

그저 겁먹지 않은 채 살고 싶어. 바나.

우리는 무기를 들고 있지 않아요. 그런데 왜 죽이는 거지? 바나.

트위터를 시작했을 때, 바나는 고작 일곱 살이었다. 폭탄이 비처럼 쏟아지는 도시에서, 공포를 느끼는 게 일상이 된 곳에서 아무것도 알려고 하지 않는 우리에게 계속 말을 걸었다. 아직 어린아이이고 싶다고. 너무나 학교에 가고 싶다고.

바나는, 시리아 알레포 밖에 있는 사람들은 여기서 무슨 일이 벌어지고 있는지 알고 있을까 의문이 들어 알아주길 바라는 마음에 트위터를 시작했다. 폭격의 잔해 속에서 혼잣말을 하며, 바나는 이렇게 생각했다.

혹시 우리가 모두 폭격으로 날아가버려도, 우리에게 무슨 일이 생겼는지 누군가 전해줄 거야. 적어도 안녕은 말할 수 있어.

바나의 트위터 계정을 전 세계적으로 유명하게 한 최초의 트윗은 "오늘 밤, 우리는 죽을지도 몰라. 너무 무섭다. 폭격으로 죽을 거야"다. 일곱 살 아이가 이런 말을 할 수밖에 없는 세상을, 우리는 못 본 척하고 있다.

이 세상에는 자유롭게 편지를 보낼 수 없는 사람들이 존재하는 곳이 있다. 바나는 알레포를 탈출한 후, 시리아의 어린이를 구해달라며 트위터뿐 아니라 도널드 트럼프 미국 대통령과 테레사 메이 영국 총리에게 서툰 영어로 편지를 썼다고 한다.

우표가 붙어 온 것만 편지는 아니다. 이를테면 같이 사는 사람에게 몰래 쓴 메모 같은 것도 편지다.

예전에 근처의 길고양이가 서점에 드나들었다. 만지지 못하게 했지만 손이 닿는 거리에서 잘 정도는 됐었다. 서점 문을 연 지 얼마 안 됐을 때니까, 오래된 이야기다. 우리 서점에서는 '시마코'라고 불렀지만, 근처 이웃들은 다른 이름으로 불렀다. 아마 여러 개의 이름을 갖고 있었을 것이다. 새끼 고양이라고 생각했던 시마코가 어느샌가 임신 상태라는 것을 알게 된 지 며칠 후 차에 치여 죽었다. 10대 시절부터 자주 왔었고 나중에는 아르바이트로 일했던 여자아이가, 시마코가 죽은 걸 알고 위로의 편지를 써주었다. 출근했더니 문틈에 끼워져 있었다.

그녀는 이미 어엿한 성인이 되어 지금은 해외에 살고 있다. '유키코'라는 이름의 직원이 두 명 있었는데, 그중 한 명으로 '유코'라고 불렸다. 가끔 구마모토에 돌아와 건강한 모습으로 서점에 오곤 한다. 여행지에서 엽서를 보내거나 크리스마스카드를 보내기도 한다. 그녀가 쓰는 글자는 독특해 '뉴욕'이 '뉴옺'으로 보인다. ㄱ을 비스듬하게 기울여 써서 그녀가 쓰는 ㄱ은 언제나 웃는 것처럼 보인다.

악필인 내 글씨를 좋아하지 않고 멋진 문장도 쓰지 못하지만, 편지는 내용이 중요한 게 아닐지도 모른다. 편지를 쓸 때 받는 사람을 생각하는, 그 마음을 받거나 주거나 하고 있다. 편지를 쓴다는 것 자체에 의미가 있는 것이다.

그렇다고는 해도 역시 내키지 않는 일이지만.

단골손님

슬슬 연필을 깎아주세요. 몇 번째 방문이었을까. 오가와 씨가 서점을 나서며 재촉의 한마디를 남겼다. 오가와 씨는 이 책의 담당 편집자다.

1년 전쯤에 오가와 씨로부터 편지를 받았다. "의논드리고 싶은 게 두 가지 있습니다"라고 적혀 있었다. 내용은 적혀 있지 않았다. 그때는 아직 한 번밖에 만나지 않았던 터라 어떤 내용인지 짐작도 가지 않았다. 얼마 뒤에 오가와 씨가 찾아왔다. 첫 번째 이야기가 끝난 뒤, 실은 이게 본론입니다

만…… 하며 책을 내고 싶다고 했다.

그즈음 신문에 연재를 하게 되어 글을 쓰고 있던 참이었다. 오가와 씨는 그 글이 마음에 들었던 모양이었다. 갑자기 무슨 말을 하는 건가 싶어 놀랐고, 오가와 씨에 대해 잘 모르니 선뜻 하겠노라 말할 수 없었다. 일단 거절할 핑계를 늘어놓았다.

서점을 옮긴 지 얼마 안 됐고, 연재 중이고, 다른 곳과 계약해 집필 중인 원고도 아직 끝내지 못했습니다. 작가도 아니고, 잡무에 쫓겨 글 쓸 시간을 내는 것도 여의치 않고, 하물며 글로 쓸 만한 게 그렇게 있는 것도 아닙니다. 이제 소재도 다 떨어졌어요. 아무튼 지금은 어렵습니다, 라고 완전히 거절했다.

오가와 씨는 물러서지 않았다. 오가와 씨가 직접 오고, 편지가 오고, 또다시 오가와 씨가 왔다. 참고로 오가와 씨는 구마모토에 살지 않는다. 오가와 씨의 선배 편집자도 놀러 온 김에 거들었다. 사실 저렇게 집요한 사람이 아닌데, 어떻게 해서든 하고 싶다고 열심히 노력하고 있다고 했다.

다른 일도 있어 겸사겸사였겠지만, 멀리서 몇 번이고 오면 거절하는 것도 점점 어려워진다. 대신이라고 하기는

뭣하지만, 다른 작가를 소개해 이야기가 잘 풀렸길래 다행이다, 하고 도망가려고 하니 그건 그거고 동시 진행 가능합니다, 라고 했다. 밀어붙이면 당해내지 못한다고 누가 귀띔이라도 한 걸까? 그래서 내키지 않을 때는 그 자리에서 바로 거절하려고 하고 있는데.

하지만 책을 내겠노라 하고 만 데에는 오가와 씨의 압박만 있던 건 아니다. 오가와 씨가 책이 좋아서 어쩔 줄 모른다는 걸 알았기 때문이다. 책에 관련된 일을 한 차례 포기했었는데, 역시 책을 만들고 싶다며 독립해서 일을 시작했다고 한다. 진보초(헌책방이 모여 있는 도쿄의 거리—옮긴이)를 아주 좋아하는 것 같았다. 우리 서점에 와서도 반드시 서가를 둘러보고 간다. 책에 관한 이야기를 할 때는 기뻐하는 듯하다. 이렇게 책을 좋아하는 사람이 내 책을 만들고 싶다고 한다. 자신 따위는 추호도 없는데, 책을 사랑하는 오가와 씨의 마음에 설득당하고 말았다.

약속했지만, 역시 원고는 지지부진해 좀처럼 진도가 나가지 않는다. 낮에는 책을 팔고, 손님과 이야기를 하고, 차를 우리고 요리를 한다. 틈틈이 책 주문을 하거나, 사무를 보면서 재고 보충도 한다. 대강 오늘의 일은 다 끝났다고 한숨

돌리면 시들시들해 물을 줘야 할 화분과 냉동고의 성에가 눈에 들어온다. 최근에는 문예지 발행도 시작해 일이 끝도 없다. 사람을 더 쓰는 게 낫지 않겠느냐는 소리를 들을 법하지만, 그럴 만한 여유는 전혀 없다.

하지만 제일 큰 문제는 책이다. 집에 도착할 때까지는 밥을 먹고 씻은 뒤 일단락되면 쓰자고 생각한다. 하지만 방에는 읽지 못한 책이 산더미처럼 쌓여 있다. 당연하게도 쓰는 것보다 읽는 게 즐거우니까 컴퓨터를 켜도 자판은 두들기지 않고 책장을 넘기고 있다. 겨우 몇 줄 쓰고는 컴퓨터의 전원을 끄는 일도 종종 있지만, 간혹 유혹에 지지 않고 이렇게 쓰기도 한다. 틀림없이 안절부절못하고 있을 오가와 씨의 얼굴을 떠올리며 쓰고 있다.

서점을 시작한 지 10년이 됐다. 카페 겸 잡화점을 시작한 지는 17년이 지났지만, 책은 한쪽 구석에 진열하는 정도였다. 옆의 작은 점포를 빌려 책만 있는 공간을 만든 지 10년이 흘렀다. 서점 개업 기념일에 멀리서 축하하러 오겠다는 사람이 있어서 자리를 마련하게 됐다. 마침 오가와 씨도 그때쯤 구마모토에 들를 거라고 연락을 했길래 초대했더니 오겠다고 했다.

처음 책을 내자고 한 뒤로, 몇 번이나 서점에 와주었다. 카운터석에서 커피를 마시고, 옆자리의 손님과 이야기를 나누고, 돌아갈 때는 살며시 한두 마디…… 당부한다.

슬슬 연필을 깎아주세요. 쓰기 시작하면 속도가 붙을 거라고 생각합니다. 『코르시아 서점의 친구들』(스가 아쓰코, 문학동네, 2017) 같은 책을 만들고 싶어요. 이 카운터석에 앉아 있는 것만으로도 단편소설을 읽고 있는 듯한 기분이 듭니다.

그러고 보니 오가와 씨는 단골손님과 친숙한 사이가 되어 있었다.

책을 읽은 사람이 다이다이 서점을 와보지 않아도, 거기 있는 듯한 기분이 드는 글을 써달라고 했다. 코르시아 서점이라니 몸 둘 바를 모르겠지만, 서점의 분위기가 조금이라도 전해진다면 하는 마음으로 쓰고 있다. 그래서 오가와 씨의 이야기도 쓰고 있다. 틀림없이 쓴웃음을 지으며 이 글을 읽을 것이다.

모임이 있던 날, 오가와 씨는 술 한 병을 안고 왔다. 그날 바로 돌아가려고 했지만 숙소를 잡았다고 했다. 분위기가 한창 무르익자 기분 좋게 취해 아는 사람과도 그렇지 않은 사람과도 완전히 친해져서 어느새 단골손님이 된 것처럼 보였다. 마지막에는 안쪽까지 들어와 설거지를 해주었다.

가끔 뚝뚝 끊어서 보내는 원고를 읽고 감상을 써서 보내거나, 은근슬쩍 부담을 주기도 한다. 다지리 씨의 원고가 활력소입니다, 라는 소리를 들으면 좀처럼 써지지 않는 글도 조금 속도가 붙는다. 물론 이런 게 그의 일이지만 고맙게도 한결같아서, 그래서 어떻게든 조금씩 쓰고 있다.

세상에는 저마다의 책에 오가와 씨 같은 사람이 있다. 그 사람들 덕분에 우리는 책과 만난다.

이 책이 몇 명의 독자와 만날 수 있을지 모르겠지만, 적어도 첫 번째 독자는 이미 있다.

피로연

연어와 복숭아와 배, 맛있는 먹거리를 자주 보내주는 손님이 있다. 일의 특성상 전근이 잦지만 구마모토에서는 꽤 오랫동안 근무해서 그때 단골손님이 되었다. 지금은 멀리 홋카이도에 있다.

구마모토에 있을 때는 독신이라는 자유를 만끽하며 자주 해외여행을 다녔던 손님으로, 외국에서 그림엽서를 보내준 적도 있다. 서점에 가끔 데리고 가는 하얀 고양이를 귀여워해서 받는 사람은 언제나 '오렌지 다이다이 서점 시라다마 님'이었다. 본가에 부탁해 배를 보냈을 때도 그렇게 쓰여 있어서 하쿠교쿠 씨 있습니까, 라고 배달하는 사람이 의아하게 물었다. 설마 고양이의 이름이 쓰여 있을 거라고는 생각하지 못했을 것이다. 참고로 '하쿠교쿠'가 아니라 '시라다마'라고 읽는다. 아버지에게 택배를 보내달라고 부탁했다고 하니, 서점 주인의 이름은 하쿠교쿠라고 생각했을 게 틀림없다. 나중에 손님의 아버지와도 만나 오해를 풀었지만.

그 손님이 구마모토를 떠나게 되었을 때, 반가운 소식이 있었다. 전근이 결정되고 바로 좋은 사람을 만났다고 했다. 나중에 소개받았을 때 보니 잘 만났다 싶을 정도로 멋진 여성이었다. 얼마 후 그 여성과 결혼하게 되면서 구마모토는 그 손님에게 또 하나의 집이 되었다.

어느 날, 그 손님이 부탁이 있다며 연락을 했다. 피로연 같은 걸 서점에서 하고 싶다고 했다. 그런 중요한 일은 제대로 된 곳에서 하는 게 좋다고 말렸지만, 여기가 좋다며 양보하지 않았다. 저희가 준비할 수 있는 건 할 테니까요. 될 수 있는 한 폐 끼치지 않도록 할 테니까요. 이렇게까지 말하면 거절할 수 없다. 소중한 날에 이렇게 보잘것없는 곳에서 피로연이라니, 여자친구의 가족과 친구가 실망하지는 않을까

영 내키지 않았지만 결국 수락했다.

그 손님은 일 때문에 취재한 적이 있는 미스미마치의 생선가게에 자주 갔다. 나는 가본 적이 없는데 아마쿠사 바로 앞, 아리아케해에 닿아 있는 오타오해수욕장 근처라고 했다. 구마모토 중심부에서 차로 한 시간 정도 걸리니 가깝지는 않지만 자전거로 놀러가기도 하는 것 같았다. 마치 친척처럼 주문 준비나 배달을 잘 도와서 생선가게 가족들의 사랑을 받고 있었다.

생선가게에 갔다 오면서 회를 가져와 서점으로 여자친구를 부른 적이 있다. 카운터석에 있던 손님과 함께 먹고 있고 있을 때 여자친구가 도착했다. 여자친구에게도 권했더니 회뿐 아니라 모두 먹고 난 뒤에 남은 해초에 간장을 조금 뿌려서 부지런히 먹었다. 해초 좋아하냐고 물어보니 맛있는데 남기는 게 아까워서요, 라고 약간 부끄러운 듯이 말했다. 그때 아, 이 사람 좋은데, 라고 생각했다.

피로연에서는 그 생선가게에서 회를 배달해줄 것이라고 했다. 가깝지도 않은데 폐를 끼치는 건 아니냐고 묻자 기운이 넘치시니까 괜찮다고 한다. 자, 그럼 간단한 요리와 술만 준비하면 되겠다 싶어 마음이 조금 편해졌다. 마음에 여유가 생기니 뭔가 하고 싶어졌다. 단골손님에게 조언을 구하니 역시 케이크 커팅 정도는 해야겠다는 생각이 들었다. 결혼식이란 것에 그다지 흥미가 없는 사람들이 모여서 이러쿵저러쿵 하고 있으니 어떻게 하면 좋을지 잘 몰라 우왕좌왕했다. 일단 결혼식에 자주 쓰이는 곡을 인터넷에서 찾아봤다. 최근 곡부터 옛날 곡까지 여러 가지가 나왔다. 그러자 누군가가 〈첫 입맞춤〉을 틀고 뽀뽀를 시킬까, 라고 말했다. 점점 모두 신이 나서 테이블에 꽃 장식을 해야지, 폭죽을 터트리자, 케이크에 뭐라고 쓰지 하며 떠들썩해졌다.

피로연 당일은 가족들과 결혼식과 식사를 한 뒤에 서점으로 올 거라고 했다. 근처의 호텔을 예약했다길래 피로연 시작 전까지 호텔에서 느긋하게 쉬고 있으라고 당부했다. 그동안 손님들과 요리를 나르고, 꽃을 장식하며 준비를 하고 있자니 좀 더 화려하게 하고 싶어서 다 함께 학예회에서 쓸 것 같은 장식을 만들기 시작했다. 색종이를 잘라 종이 사슬을 만들었다. 오랜만이네, 이거. 왁자지껄 만들다 보니 시간이 얼마 남지 않았다. 주인공들이 오는 바람에 당황해서 어쩔 줄 몰라 하자, 책을 사러 온 손님까지 종이 사슬 만드는 걸 도와주었다. 그 손님은 주인공들과 모르는 사이였다.

'첫 입맞춤'은 손톱만큼도 잘되지 않았다. 두 사람이 부끄러움을 많이 타는 편이었기 때문이다. 알고 있었기에, 목소리가 큰 사람에게 노래가 시작되면 요란하게 떠들어달라고 했다. 그는 카메라맨이라 그 순간의 사진도 찍어달라고 부탁했다. 그런데 사진을 찍지 못했으니 한번 더 등을 외쳤다. 그렇게 부끄러워하는데 다시 할 리가 없다. 카메라맨은 모두에게 호되게 야단맞았다. 불시에 그런 걸 시켜서 미안했지만, 수줍어하는 두 사람은 풋풋하고 무척 사랑스러웠다.

피로연 이야기 써도 될까, 라고 연락하자 그날 찍은 사진을 찾아서 보내주었다. 나는 허둥대느라 사진 한 장 찍지 못했기 때문에 몇 년 만에 그날의 풍경을 보았다. 입맞춤은 없지만, 두 사람이 케이크를 자르는 사진이 있다. 조금 수줍어하는, 아주 보기 좋은 얼굴이 찍혀 있다. 종이 사슬 장식 아래에 의자가 같이 찍혀 있었는데, 전부 시라다마가 발톱으로 갈아서 너덜너덜하게 찢어지거나 얼룩져 중요한 날을 이런 데서 보내서 괜찮았을까 하는 생각이 다시 고개를 들었다. 하지만 모두의 즐거운 듯 활짝 웃는 얼굴을 보고 뭐,

괜찮겠지 하고 마음을 고쳐먹었다.

지금은 둘이서 사이좋게 구마모토에 온다. 서점을 시작했을 때 준 녹색 의자에 앉으러 온다. 천으로 된 건데, 왜 그런지 시라다마는 이 의자에서는 발톱을 갈지 않는다.

A씨 이야기

A씨는 서점을 시작한 다음부터 온 손님이다. 70대 후반 정도일까? 언제나 말쑥한 차림에 유유한 모습이다. 찰스 부코스키와 잭 케루악을 좋아하고, 블루스 가수인 아사카와 마키의 팬이다.

여그는 묘헌 책만 잔뜩 갖다 두네이, 망하믄 안 됭께 사줘야 쓰것다.

이렇게 말하며 책을 사가셨다. 안 팔릴 것 같은 이상한 책만 늘어놓으니까 장사가 안 되지, 망하지 않게 내가 사준다는 의미다. 대개 한 권을 구입하시지만, 사고 싶은 책이 없을 때는 카페만 이용하신다. 담배를 피우면서 커피 한잔.

어느 날, 커피를 드시고 잠시 쉬었다 가실 때 계산도 다 했는데 선 채로 이야기가 길어졌다. 아까 전쟁을 겪은 손님으로부터 전쟁 중에 있었던 일을 들어서 그만 전쟁 이야기를 꺼내고 말았다. 8월 15일은 무척 쾌청한 날이었다고 들었는데 기억하시냐고 여쭤보니, 맑게 갠 날이었다고 말씀하셨다. 그리고 체험담을 하나 들려주셨다.

이웃집 소녀가 공습으로 세상을 떠나고 만 이야기. 폭탄은 직선으로 떨어지기 때문에 공습이 있을 때는 길의 가장자리로 피하면 맞을 가능성이 적다고 한다. 그 아이는 그날 새 게다를 신고 있었다. 그리고 도망치다 벗겨진 게다를 주우러 돌아갔다가 폭탄에 맞았다. 새 게다를 신은 탓에 소녀는 죽었다.

계산대 근처에 진열된 잡화를 보고 있던 젊은 여성 손님이 있었다. 양말을 보고 있는 것 같았는데, 잠시 후 이쪽을 곁눈질하는 모습이 눈에 들어왔다. 계산하고 싶은걸지도 모르겠다고 생각했지만, A씨의 이야기에 찬물을 끼얹고 싶지 않아서 그만 모른척하고 말았다. 이야기가 끝나갈 즈음 그 손님은 이미 자리에 없었다. 죄송한 일을 하고 말았네,

이러니까 장사가 안 되지, 라고 반성했지만 A씨의 이야기를 듣고 싶었으니 됐다고 마음을 다잡았다. A씨는 그저 세상 살아가는 이야기를 했다는 듯 담담하게 가셨다.

혼자가 된 나는 게다의 끈은 무슨 색이었을까 상상한다. 길가의 소녀와 저만치에서 나뒹구는 게다. 그 광경을 보고 있는 소년. 늘 그렇듯이 표표히 이야기했지만, 소년 A의 눈에 비친 그 광경은 지금도 여전히 선명할 것이다. 소년 시절의 A씨가 된 양 그 모습을 기억에 남겼다.

얼마 지나지 않아 아까 그 손님이 다시 와서 물건을 사 주셨다. 이야기에 열중해 살피지 못한 것에 대해 사과하자, 귀중한 이야기 중이시라 저도 조금 들었습니다, 라고 말씀해주셔서 마음이 놓였다.

전쟁을 다룬 책 읽기, 영화 보기, 텔레비전 보기. 지금까지 많이 해왔던 일이다. 하지만 얼굴을 맞대고 체험담을 듣는 경험은 그 무엇과도 달랐다. 기억의 단편은 그 사람과 함께 내 기억 속에 남는다. 소년이었던 A씨가 본 장면이 수십 년이라는 시간을 거쳐 A씨의 말과 그 존재로 내 눈에 비쳤다.

어떤 일이 일어났을 때, 그 자리에 있었던 사람의 수만큼 이야기가 존재한다. 이런 식으로 직접 이야기를 듣는 일은 드물기 때문에 책을 읽는다. 잘못을 반복하지 않도록 알고 싶으니까 읽는다. 입장이 다르면 풍경도 변하기 때문에 모든 입장에서 보고 싶다. 전쟁이 일어났을 때, 권력자의 눈과 전선에서 싸우는 병사의 눈은 서로 다른 것을 본다. 오오카 쇼헤이의 『들불』(소화, 1998)을 읽어보면, 지극히 평범한 생활을 해온 사람이 인육을 먹기에 이르는 과정을 통해 전쟁터가 어떻게 사람을 이상한 상황으로 몰아넣는지를 뇌리에 새길 수 있다.

테러가 끊이지 않는 텔아비브에 사는 작가 에트가르 케레트. 그의 자전적 에세이 『좋았던 7년』(이봄, 2018)을 읽었다. 그동안 막연하게 품고 있던 텔아비브의 이미지는 뒤집히고, 어느새 기묘하고 이상한 일에 웃으며 낯선 곳에 사는 사람들의 마음에 다가서고 있었다. 그들은 우리와 그렇게 다르지 않았다.

케레트의 부모님은 홀로코스트에서 살아남았다. 생존자 2세인 그는 전쟁이 벌어지고 있는 거리에서 가족과 살고 있다. 아들이 태어나려고 하는 병원에는 테러로 다친 사람들이 실려 왔다. 공원에서 엄마들의 화제는 아이를 군대에 보낼까 말까다. 이스라엘에서는 폭력을 보고 못 본 척할 수 없다. 하지만 한편으로는, 홍보 전화를 잘 거절하지 못하는 이야기와 사모님들과 뒤섞여 필라테스를 하는 이야기가 익살스럽게 나온다. 폭력이 넘쳐흐르는 세계를 유머와 다정함을 섞으며, 때로는 사회를 풍자하면서 경쾌한 필치로 묘사해 나간다. 머나먼 이국의 전쟁 속 이야기인데, 친척 오빠의 이야기를 듣고 있는 것 같은 친근감을 느꼈다. 울기도 하고, 웃기도 하면서 술을 마시며 듣는 것처럼. 그리고 그들은 모르는 사람들이 아니게 된다. 전쟁을 하는 것도, 테러 행위에 이르는 것도, 우리와 그리 다를 바 없는 사람들이다.

보통 사람들의 목소리를 정성스럽게 길어 올리는 사람도 있다. 벨라루스의 작가 스베틀라나 알렉시예비치. 『체르노빌의 목소리』(새잎, 2011)에서는 원자력발전소 사고를 경험한 사람들의 목소리를 모으고, 『전쟁은 여자의 얼굴을 하지 않았다』(문학동네, 2015)에서는 소련 종군여성의 목소리를 발굴한다. 그들의 봉인되어 있던 목소리. 두려워서, 너무 슬퍼서 입 밖으로 내지 못했던 이야기. 같은 이야기는 하나도 없지만, 거기에 있는 모든 이야기가 사건의 윤곽을 드러낸다. 평소라면 원피스 차림에 양갈래 머리가 어울릴 한창 귀여운 때의 소녀들이 짧은 머리에 남자 속옷을 입고 전쟁터로 향한다. 목숨을 걸고 무기를 손에 쥐고 싸웠던 소녀들은, 전쟁이 끝나자 세상 사람들의 멸시로 전쟁에서의 경험을 숨겨야만 했다. 물론 이 전쟁에는 다른 측면도 있을 것이다. 하지만, 이것도 진실의 일부다. 해군으로 참전한 여성은 말한다.

단 하루라도 좋으니까 전쟁이 없는 날을 보내고 싶다. 전쟁을 생각하지 않는 날. 하루라도 좋으니까…….

동일본과 한신·아와지 대지진 때, 쓰나미 영상과 무너진 고속도로와 활활 타오르는 불길에 충격을 받고 당황했다. 그러나 지진의 진짜 공포는 모르고 있었다. 구마모토에서 나고 자라 이곳을 벗어날 일 없이 생활하고 있다. 오랫동안 큰 지진이 없었던 지역에서 지내서 어리석게도 그게 당연하다고 믿고 있었다. 거기에 급작스레 들이닥친 두 번의 큰 흔들림. 오늘 죽을지도 몰라, 생전 처음 진심으로 그렇게 생각했다. 암흑 속 야외에서 보낸 불안한 밤. 새소리가 들리기 시작하고, 동쪽 하늘이 밝아졌을 때의 안도감. 그래도 거기까지였다. 건물이 부서지고, 상점의 집기가 넘어지거나 식기가 깨졌을지언정 다행히 죽음은 근처에 없었다.

지금도 쓰나미를 경험한 사람들의 고통은 상상만 할 뿐이다. 진원지 근처에 사는 사람들의 고통을 감히 헤아릴 수도 없다. 폐허가 된 마을을 봤다. 무너진 건물 옆에, 집을 떠날 수 없어 텐트 생활을 이어가는 사람들도 봤다. 잔해 속에는 장난감이 굴러다니고 있었다. 한순간에 일상을 빼앗기는 아픔을 상상해 보지만, 어디까지나 상상에 그칠 뿐이다.

어린이집에서 일하는 손님에게서 들은 이야기. 자원봉사를 하러 갔던 곳에서 아이가 나무토막으로 집을 지으며 이렇게 말하고 있었다고 한다.

나는 꼭 대목수가 될 거야. 그래서 꼭 무너지지 않는 집을 지을 거야.

집을 다 만들고 난 다음 그 아이는 정성스레 나무토막을 하나씩 원래대로 돌려놓았다고 한다. 아이들은 보통 다 놀았으면 와지끈 부수는 법인데 그렇게 하지 않은 건 자기 집이 무너졌기 때문일 것이다. 손님은 그렇다고 했다.

이야기가 사람 수만큼 있다. 몇 개가 됐든 직접 들었다.

그리고 세상은 이해되지 않는 것, 모르는 것투성이라는 걸 실감했다. 하지만 경험하지 않아도 되는 것이 있다. 예를 들어, 원자력발전소 사고. 예를 들어, 공해병. 이유 없는 차별을 당하는 것. 그리고 전쟁. 모두 인재人災다. 경험하지 않도록, 가해자가 되지 않도록 이야기를 듣고 책을 읽는다. 알려고 노력하고 상상한다. 그리고 목소리를 낸다. 인간이 어리석고 나약하다는 것을 잊지 않기 위해.

올해도 햇볕 쨍쨍하게 더운 여름이 온다. 일본인이 전쟁에 진 것을 떠올리는 날이 온다. 일본인에게는 피해의 기억만 남아 있다. 도쿄대공습, 원자폭탄이 떨어진 날, 8월 15일. 독일인에게 메모리얼데이를 물어보면 아우슈비츠가 해방된 날과 히틀러가 총리가 된 날을 꼽는다고 한다. 가해의 기억. 일본 역시 그에 못지않게 참혹한 짓을 했다. 약탈에 학살, 인체 실험. 피해의 기억과 가해의 기억. 전쟁에는 두 가지 측면이 있을 것이다. 잘못을 되풀이하지 않으려면 둘 다 기억해야 하지 않을까.

자주 서점 앞을 지나는 할머니가 계속 신경 쓰였다. 눈이 휘둥그레질 정도로 아름답게 나이 드셨다. 머리카락 한 올 삐져나오지 않게 단단히 땋아 올린 흰머리. 몸에 걸치는 것은 세세한 부분까지 신경 썼다. 어느 날, 그 할머니가 지나가는 것을 본 단골손님이 초등학교 때 선생님이었다고 했다. 전쟁으로 결혼 상대를 잃은 뒤로 쭉 혼자시지 않을까, 라고. 그 이후로 괜히 더 신경이 쓰이던 차, 어느 날 서점에 들어오셨다. 읽고 싶은 책이 잔뜩 있지만 요즘 눈이 영 좋지 않아서, 라고 하시며 몇 권인가 구입해주셨다. 기쁜 나머지 그만 이야기에 열중했다. 화가 구마가이 모리카즈를 좋아한다고 말씀하시는 모습은 젊은 아가씨 같았다. 구마가이 씨의 배우자와 닮으셨다고 하니, 아이참, 무슨 그런 말을이라고 하시는 게 싫지 않은 눈치다. 구마가이 씨의 아내 히데코 씨는 사진으로 보는 한 나이 들었어도 멋이 있는 모습이 매력적인 사람이다.

그러다가 전쟁 이야기가 나왔다.

나가사키에 있었지. 원자폭탄이 떨어지기 직전까지. 예정보다 빨리 돌아오게 됐지. 그때 돌아오지 않았다면, 당신과 이렇게 얘기할 수 없었을 거야.

전쟁이란, 이런 미래의 시간도 빼앗는다. 폭탄이 그 할머니를 날려버렸을지도 모른다, 많은 사람과 함께.

최근에는 그 할머니를 좀처럼 볼 수 없게 되었다. 당시의 연세를 생각하면, 아마 다시는 만나지 못할 것이다. 그리고 A씨도. A씨의 부고가 수년 전에 신문에 실렸었다.

A씨와 마지막으로 만났던 날의 일은 또렷이 기억하고 있다.

마침 돈이 없다며 책을 맡겨놓고 돌아간 후, 얼굴을 보지 못한 날이 이어져 걱정하고 있었다. 한 달 이상 지난 후에야 비로소 오셔서 안심했다.

하도 안 온께 죽어브렀다고 생각했제?

서점에 들어서자마자 익살스럽게 말했다. 네네, 그런 줄 알았어요, 걱정했다고요. 나도 가볍게 대꾸하자, 지난번에 맡겨둔 책은 있는지 물으셨다. 물론이라고 답하자, 짓궂은 답이 돌아왔다.

언제 죽을지 모르는 노인네 책을 한 달 넘게 둔다고라. 그라믄 사가야제.

그게 마지막이었다. 향토사학자였던 A씨는 아직 쓰고 싶은 게 많다고 했었다.

여그는 묘헌 책만 있어서 곤란혀. 책을 쓸 여유가 없어 진당께.

묘한 책. 그건, 아마 칭찬이었을 것이다. 계속해서 묘한 책을 찾아주길 바랐다. 마지막 책은, 앨리스 먼로의 단편집. 그 책을 볼 때마다 A씨는 이 책을 다 읽었을까 생각한다.

마마

아이는 없지만, 가끔 '마마'라고 불린다. 다방이나 주점의 여주인도 때때로 마마라고 불리니까 이상한 일은 아닐지도 모른다. 그러고 보니 마담이라고 불린 적도 있다. 화장도 할 줄 모르고 전혀 마담 같은 느낌은 없는 모습이지만, 카페를 하고 있다는 것만으로 그렇게 불리고 마니까 재미있다.

누가 처음 마마라고 불렀을까 하고 서점에서도 화제가 됐던 적이 있다. 유타가 아닐까, 라고 손님이 말했다. 예전 직원 중 하나다. 유타는 교토에서 구마모토의 대학에 진학해 서점에 드나들게 됐다.

어느 날 유타가 어떤 여자아이와 같이 와서 부탁이 있다고 했다. 그 여자아이가 윳코다. 둘은 같은 대학에 다녔다. 각자 수업이 없는 시간을 맞추면 한 사람 몫으로 일할 수 있으니 일하게 해달라고 직접 담판을 지으러 온 것이다. 그들은 머지않아 그만두는 직원이 있다는 걸 알고 있었다. 그렇게 우리 서점에서 일하게 됐다. 지금은 둘 다 사회인이 되어 저마다 다양한 경험을 쌓고 있지만, 여전히 서점에 오곤 한다.

그 외에도 마마라고 부르는 직원이 있지만, 일했던 직원 모두 그렇게 불렀던 건 아니다. 지금은 구마모토에 없는 아키 짱, 아스카 짱, 유타만 마마라고 불렀다. 아키 짱은 다정하고 친절한 사람으로 귤을 까주거나, 몸이 안 좋을 때 죽을 끓여주는 등 오히려 엄마 같았는데, 지금도 편지에 마마라고 써서 보낸다. 결혼해서 아이도 있고 멀리 살고 있지만 생일이다, 개업기념일이다 하며 선물을 보내곤 한다. 그리고 밥은 잘 먹고 있어? 감기 걸리지 않게 조심해 등 여전히 마치 엄마 같은 편지를 동봉한다.

그녀들이 부르는 것을 듣고 낚였을 것이다. 그 무렵에 공연을 하러 온 사람들은 대개 나를 히사코 마마라고 불렀다. 아저씨들도 그렇게 불렀다. 이렇게 큰 아이를 가진 기억은 없다고 말하기도 하지만, 싫은 건 아니다. 그저 멋쩍을 따름이다.

카나 짱이 처음 온 건 서점을 시작한 다음 해였다. 노래하러 왔었다. 깨끗한 고음에 맑은 목소리를 가진 사람이었다. 그녀도 나를 히사코 마마라고 불렀다. 도쿄에 살고 있지만 공연이 없을 때도 가끔 불쑥 찾아왔다.

놀러 오는 것뿐만 아니라 편지와 소소한 선물도 불시에 날아든다. 축하한다는 글과 함께 자신의 캐리커처를 그려 서점의 기념일에 팩스로 보낸 적도 몇 번인가 있다. 멀리 떨어져 있어도 가끔 떠올려주는 게 기뻐서 그녀의 글씨를 보며 싱글싱글 웃는다. 카나 짱의 목소리 같은, 활기를 띤 글씨. 가게 이름 orange의 o 안에는 꼭 웃는 얼굴이 그려져 있다.

글씨는 성격을 드러낸다. 그렇게 쓰는 순간, 나의 한심한 글씨가 떠올라 싫지만, 누군가의 글씨를 보면 자주 그런 생각이 든다.

교토에 사는 아코디언을 연주하는 여성이 있다. 콘트

라베이스를 연주하는 사람과 함께 '마마! 밀크mama!milk'라는 인스트루멘털 듀오를 결성해 활동하고 있는데, 처음 했던 라이브 이벤트가 그들의 연주였다. 유코 씨와 코스케 씨. 그들도 히사코 마마라고 부른다.

유코 씨가 아코디언을 연주하는 모습은 같은 여자라도 넋을 놓고 쳐다볼 정도로 요염하다. 그리고 우아하다. 옷 틈새로 언뜻 보이는 발. 아코디언의 바람통(벨크로)을 크게 열었을 때 등의 모양. 그래서인지 글씨도 관능적이다. 그녀가 연주하는 음처럼 강약이 있는, 아주 조금 기울어진 글씨.

두 사람이 다른 곳에서 공연을 하기 전에 들른 적이 있다. 줄기차게 큰비가 내리던 때로, 불안한 마음을 감추지 못하며 출근하니 우려했던 대로 천장에서 비가 새고 있었다. 어두운 실내에 불을 켰더니 바닥도 책도 젖어 있었다. 읽던 책을 가방에 넣어 갖고 다니거나 반신욕을 하며 읽어서 너덜너덜해지는 건 한결 더 애착이 가지만, 아무도 읽지 않은 책이 젖어버리는 건 정말 슬프다.

방수포를 깔고 응급처치를 해 젖은 책을 치우는데, 두 사람이 들어왔다. 오랜만의 재회라 기뻐하고 싶은데 시무룩한 얼굴로 맞이하고 말았다. 사정을 설명하자, 코스케 씨가 느긋하게 차라도 마시려고 했는데 걸레 좀 줘 봐, 라고 하며 정리를 도와주었다. 그리고 유코 씨는 젖은 책을 사고 싶다고 했다. 욕실에서 책을 읽으면 젖는 걸 참을 수 없다고 줄곧 생각했는데, 처음부터 젖어 있는 책이라면 거리낌 없이 읽을 수 있으니까, 라는 말을 부드러운 교토 사투리로 들으니까 굳었던 몸이 풀어졌다. 읽지 않은 책은 내가 읽으면 되고, 가지고 있는 책은 누군가에게 주면 된다. 비가 억수같이 쏟아지던 그날, 다른 손님들에게서도 많이 위로받았다. 나쁜 일만 계속 생기는 건 아니라고 곰곰이 생각했다.

서점을 이전한 다음 여름, 카나 짱이 가족을 데리고 놀러 왔다. 만났을 때부터 분명히 서로 여러 일이 있었다. 그중에는 아는 일도 있는가 하면 모르는 일도 있다. 그녀는, 그 여름, 처음으로 아이를 데리고 왔다. 이런 때는 언제나 이모가 된 것 같은 기분이 든다. 친척과의 교류에 그다지 자신이 없는데도, 다행히 그렇게 생각한다.

카나 짱 가족은 차를 마시며 느긋하게 있다가 맞은편에 있는 주점으로 밥을 먹으러 갔다. 그사이에 마침 본가에 왔던 전 직원 치바 짱이 왔다. 카나 짱에게 치바 짱이 왔다고 연락하자 밥을 다 먹고 돌아가는 길에 다시 서점으로 왔다. 카나 짱의 아들은 이제 서점이 낯설지 않은 듯했다. 그리고 나를 히- 짱 마마라고 불렀다. 엄마인 카나 짱을 부를 때처럼 똑같이 하면 헷갈릴 거라며, 밥을 먹는 동안 어떻게 부를지 생각했다고 한다.

히- 짱 마마. 이름이 하나 더 늘었다.

덤

싱크대 모퉁이 가장자리에서 무언가가 굼실거려서 흠칫했다. 애벌레가 기어 다니고 있다. 왜 이런 데에라고 생각했지만, 그러고 보니 아까 꽃병의 물을 간 게 생각나 바로 납득이 됐다. 그때 떨어졌을 것이다. 손님에게 받은 동백에 달라붙어 멀리서 덜컹거리는 버스를 타고 이런 곳까지 왔다. 꽤 오래전에 받았는데 용케 살아 있었다. 처음 왔을 때는 눈에 보이지 않을 정도로 작았겠지만, 무럭무럭 컸다.

계속 이 안에 있었을 텐데, 신기하게도 존재를 확인한 후부터 항상 살아 있는 것의 기운을 느낀다. 시야의 끝, 싱크대 주변이 신경 쓰인다. 가끔 아직 있을까, 하고 무심코 눈이 간다. 흙도, 잎도 없는 곳에서 틀림없이 혼란스러워하고 있겠지.

이시무레 미치코 씨가 돌아가신 다음 날 받은 동백이었다. 와비스케와 겟쇼. 이시무레 씨는 동백을 아주 좋아했다. 그 뒤로 벌써 한 달이 지났다. 꽃은 대부분 졌다.

꽃을 주신 손님의 집은 여러 정원수가 쑥쑥 자라고 있는 것 같다. 원래 과수원을 하셨다고 하니 땅이 비옥했을 것이다. 계절의 꽃을 가지째 갖다주신다. 그때마다 이름을 알려주시지만, 전혀 기억하지 못한다. 설날 장식용으로 갖다주시는 게 천량금인지 만량금인지 해마다 물어보고 만다. 빨간 열매가 위에 달리는 게 천량금, 아래로 내려가는 게 만량금이라고 몇 번이고 친절하게 가르쳐주신다.

그녀의 여동생은 갤러리를 운영하고 있는데, 그곳의 정원도 훌륭해서 갈 때마다 꼭 보여준다. 이름 모를 작은 꽃이 많이 피어 있다. 꽃잎 한 장, 잎맥 한 줄기에 넋을 잃고 본다. 질리지 않는다. 그녀도 꽃 이름을 하나하나 친절하게 가르쳐주었지만, 역시 다 잊어버렸다. 근처에는 큰 호수가 있어서 새도 많이 날아온다. 새가 물고 온 식물도 있을지 모른다.

그러고 보니 예전에 본 사진집에 완전히 삭아버린 토템폴의 꼭대기에 화초가 자라고 있는 사진이 있었다. 그 토템폴은 무덤에 있었다. 새가 씨앗을 떨어뜨리고 가서 마치 관을 쓰고 있는 것 같았다. 토템폴은 망주석으로서 세워져 있다. 야생동물의 사체와 함께 인간의 주검도 땅으로 돌아갔을 것이다. 비옥한 토양에서 영양분을 빨아올려 여러 식물이 빽빽하게 자라고 있다.

그 사진을 보니, 아스팔트의 갈라진 틈에서 자라는 잡초와 버려진 집의 창문에서 집 안으로 침입하는 담쟁이덩굴이 떠올랐다. 그런 것들을 보면 아주 조금이나마 안심한다. 인간 따위가 모든 자연을 망가뜨릴 수 없다고 하는 것 같은 기분이 든다.

갤러리에 가면 잠깐 기다리라며 정원의 화초를 잘라주기도 한다. 순식간에 사랑스러운 꽃다발이 만들어진다. 전에 받았던 장미는 놀랄 만큼 향기로웠다. 코를 찌를 정도로 진한 향기였다. 원종原種에 가까운 장미라 피가 스며든 것 같은 검붉은색을 띠고 있었다. 마치 자신의 공로인 것처럼, 대단하지, 라며 향기로 손님들을 즐겁게 해주었다.

선물 받은 게 많지만, 가급적 서점 안에 식물을 두려고 한다. 그래서 여기저기 꽃병이 있다. 꽃병도 대부분 받은 것이다. 요전 날, 창가에 앉은 손님이 테이블 위를 지그시 보고 있었다. 무슨 일일까 했는데, 테이블 위를 가리키며 이것 좀 보라고 하셨다. 아주 작은 황록색의 아름다운 거미가 기어가고 있었다. 4밀리 정도였으니까 잘 보지 않으면 있는지도 모른다. 꽃에 매달려 온 꽃게거미일 것이다. 꽃병 바로 옆을 기어가고 있었다. 손님이 간 뒤에도 신경 쓰고 있었지만, 얼마 지나지 않아 놓쳐버렸다.

거미를 보며 화가 구마가이 모리카즈 씨의 눈을 생각했다. 모리카즈 씨는 노년에는 집에서 거의 나오지 않았다고 한다. 울창한 정원에서 땅바닥을 뒹굴며 하늘을 올려다보고 작은 생물을 계속 관찰했던 눈. 그저 한결같이 풀을, 개미를, 나비를, 고양이를, 온갖 살아 있는 것을 응시했다고 한다.

땅바닥을 보고 있으면 움직이는 듯한 착각에 빠질 때가 있다. 잘 보면, 움직이는 것은 개미다. 그때까지 땅이라고만 인식하고 있던 땅바닥에서 개미 한 마리를 발견하면 잇달아 개미가 눈에 보인다. 분주해 보이는 개미의 행렬을 눈으로 좇는 것은 즐겁지만, 그렇게 오래하지는 못한다. 매일 같은 정원에서 싫증 내지 않고 지내는 재능은, 나한테는 없는 듯하다. 아무리 봐도 모르겠지만, 모리카즈 씨에 의하면 개미는 왼쪽 두 번째 다리부터 걷는다고 한다. 땅바닥을 뒹구는 모리카즈 씨에게는 무수한 살아 있는 것이 보였을 것이다. 단 한 마리의 꽃게거미를 보는 데도 싫증이 나지 않으니, 그에게 정원이 무한한 곳이었다고 해도 이상하지 않다.

그런데 이 녀석은 어쩌지. 애벌레는 어딘가 갈 데도 없으니 정처 없이 싱크대 모퉁이에 있다. 새가 쪼아 먹어도, 아이가 놀다가 엉겁결에 밟아버려도 상관없지만 싱크대의 찌꺼기와 함께 버리는 건 싫다. 밖에 놓아주고 싶지만, 잘 모르는 손님 한 명이 서점에서 나가지 않는다. 머뭇거리고 있는데 아는 얼굴이 들어왔다. 여기에 말이야, 애벌레가 있는데 말이지, 어떻게 하면 좋을까 하고 있는데. 이렇게 말하자 밖으로 도망가게 해주면 되잖아, 라고 하더니 가까운 공원에 놓아주었다. 하지만 여기저기 옮겨진 애벌레는 힘이 빠졌으니 밖에 놓아주는 건 그저 자기만족일지도 모른다. 애벌레는 없어지고, 동백의 가지만 남았다.

어린 시절, 집의 대각선 방향에 있던 부잣집에 동백나무가 있었다. 담장 너머로 가지가 뻗쳐 꽃이 길 위로 똑똑 떨어졌다. 떨어진 꽃을 주워 모아 음식이라고 하며 소꿉놀이를 했다. 땅바닥에 주저앉아 그런 걸 할 수 있었으니 아마 사유지의 도로였을 것이다. 차가 다닌 기억도 없다. 그 후, 동백은 썩어서 땅으로 돌아간다.

콘크리트 위에 어딘가 돌아갈 곳 없이 떨어진 동백꽃을 보면, 그 시절이 떠오른다.

사레쿠

내 책은 안 팔리죠?

이시무레 미치코 씨를 처음 만났을 때, 동행한 분이 내가 서점을 하고 있다고 소개하니 이렇게 말씀하셨다. 그럴 리가요. 자신 없는 목소리로 대답했지만, 작은 서점에서는 어떤 책이든 그렇게 잘 팔리지 않는다. 그때는 서점을 시작한 지 얼마 안 됐을 때라 한 권도 팔리지 않는 날 또한 있었다. 지금이라면, 가슴을 펴고 말할 수 있다. 그다지 손님이 많은 서점은 아니지만 이시무레 씨의 책은 잘 팔립니다.

이시무레 씨가 돌아가신 날 아침은 전화벨 소리에 눈

을 떴다. 며칠 전부터 용태를 듣고 있어서 어떤 전화인지 짐작할 수 있었다. 짧게 통화하고 끊었는데, 아직 전화기의 알림이 반짝이고 있었다. 몇 통의 문자가 와 있었다. 일하고 있는 중인 사람이 다이다이 서점에서 그저 애도하고 싶고 슬퍼서 일이 안 된다고 문자를 보냈다.

잠시 멍하게 있었는데, 다시 전화가 오기 시작했다. 이대로 멍하게 있고 싶었지만, 그저 애도하고 싶은 사람이 오는 거라면 서점을 열어야 한다.

언제나처럼 출근해서 문을 여니 이시무레 씨의 시 한 구절이 눈에 들어왔다.

정말
노래해야 할 때가 왔다
안녕히

《아르텔》 최신호(5호)의 전단지를 입구 쪽에 두었는데, 거기에 게재 예정인 시 한 편을 실었었다. 그 시의 한 구절이다.

그날은 갤러리에서의 전시 첫날이었다. 도자기 2인전.

멀리서 와주신 도예가들이 서점을 열어도 괜찮겠느냐고 신경 써주셨다. 조금 있으니 부고를 들은 손님들이 하나둘씩 나타났다. 문을 닫지 않았을까 생각했다고 말씀하신 분도 있었다. 대부분의 사람이 이시무레 씨의 책을 사서 돌아갔다. 읽으며 조의를 표하려는 것일 테다. 이날은 이시무레 씨의 책만 팔렸다.

한번도 만난 적이 없는데 왜 이렇게 슬픈 걸까.

예전에 이시무레 씨의 책을 소리 내 읽고 있다고 말한 손님이 중얼거렸다. 이시무레 씨를 만난 적이 있는 사람도, 없는 사람도 슬픔에 잠겨 있다. 서점이 추도식장 같다. 같은 기분을 느끼는 사람들과 같은 공간에 있고 싶다고 생각해 여기로 오는 것일 것이다. 장례라는 건 원래 그런 것일지도 모른다. 죽은 사람을 위한 것이 아니라 남겨진 사람들을 위해 있는.

점심이 지나 2시쯤, 예정보다 빨리 《아르텔》 최신호가 도착했다. 우연이겠지만, '안녕히'라는 글자가 눈에 들어오자 필연 같은 기분도 들었다. 반차를 내고 온 손님이 오늘 《아르텔》이 있다니 선물 같은 기분이 든다고 했다.

도요타 나오코 씨의 〈흔들리는 바다〉라는 목판화가 표지. 어두운 바다가 아른아른 빛나는 것처럼 보인다. 거기에 영혼이 떠도는 것처럼 보이기도 한다. 이제 이시무레 씨도 자유로워져서 그 근처에 있는지도 모른다. 보여주지 못한 이 표지도 보고 있을지도 모른다.

이시무레 씨는 어린 시절 마을의 노파에게 이런 소리를 들었다고 한다.

"음, 이 아이는…… 혼이 나가 있네. 다카자레키의 버릇이 들었는지도 모르겠어."

구마모토 사투리로 서성거리며 떠도는 것을 '사레쿠され く'라고 한다. 이시무레 씨는 자신의 고향에서는 영혼이 놀러 나가 마냥 돌아오지 않는 자를 '다카자레키高漂浪의 버릇이 들었다'라든가 '도오자레키遠漂浪가 들러붙었다'고 말한다고 썼다.

나도, 어린 시절부터 책만 읽고 있으니까, 다카자레키의 버릇이 붙었다. 어디에도 가지 않고 책에서 들리는 소리에 의지해 여기저기 돌아다닌다. 이시무레 씨처럼 종횡무진은 아니지만, 비틀비틀 떠돌았다.

이시무레 씨의 책을 읽음으로써, 그 영혼과 함께한다. 아득하게 먼 저쪽에 계실 때는 멀리서 보는 것밖에 안 되지만, 적어도 같은 곳을 바라보려고 귀를 기울이고 응시한다. 평소에는 멀리 있는, 바다의 목소리, 산의 목소리. 그리고 우리에게는 보이지 않게 된 산의, 그 사람들의 목소리가 들려온다. 새끼 여우가 된 이시무레 씨를 만날 수는 없을까 두리번거린다.

날이 갈수록 슬픔은 안개처럼 사라졌다. 이시무레 씨의 영혼이 근처에 있는 것 같은 기분이 들었다. 이 세상에 없다는 현실감이 차츰 희미해졌다. 오히려 존재감이 커진다.

요전 날, 한때 이시무레 씨의 휠체어 관리를 했다는 분이 오셨다. 이렇게 대단한 작가인 줄도 모르고 이야기를 듣고 있었다고 말씀하셨다. 하지만 이시무레 씨가 들려준 이야기는 재미있어서 지금도 기억하고 있다며 몇 가지를 가르쳐주셨다. 그분이 묻지도 않았는데 들었다는 이야기는 이시무레 씨가 쓴 것과 겹친다.

오랫동안 서가를 응시한 다음, 이시무레 씨의 책을 읽고 싶으니 골라달라고 하셨다. 어떤 사람이었는지 알고 싶

다고 해서 『갈대 둔치葭の渚』를 추천했다.

다른 날, 젊은 분이 잇따라 이시무레 씨의 책을 사서 돌아갔다. 한 분은 서점에서 나가기 직전에 나를 돌아보며, 돌아가시고 말았군요, 라고 나직하게 말씀하셨다.

네, 유감입니다. 그렇게 대답하며, 이시무레 씨에게 우리 서점에서는 이시무레 씨의 책이 무척 잘 팔리고 있다고 말하고 싶어 견딜 수 없었다.

같은 달을
올려다보며

인연

미나마타의 사진을 찍어주지 않겠느냐는 부탁을 받은 적이 있다. 10년도 더 된 이야기지만, 스위치 퍼블리싱의 아라이 토시노리 씨의 의뢰였다. 이시무레 미치코 씨의 강연록을 잡지에 실을 때 덧붙이고 싶다고 하셨다.

한때 사진 찍는 일을 한 적은 있지만, 가게를 시작한 뒤로는 거의 찍지 않아서 자신이 없었다. 돈이 없어서 카메라도 고장 난 채 그대로였고, 다른 사람에게 받은 낡은 카메라만 있었다. 주눅이 들어 지역의 사진가를 소개하겠다고 했지만 이시무레 씨의 책을 읽는 사람이 찍었으면 좋겠다고 해서 수락했다.

촬영 당일은 아침부터 비가 억수같이 쏟아졌다. 따로 쉴 수 있는 날이 없어서 예정대로 나갔지만, 차에서 내리는 것조차 주저할 정도로 비가 앞 유리를 때렸다. 와이퍼가 부지런히 빗물을 닦아내는 걸 보면서, 사진 실력도 부족한데 이 빗속에서 제대로 된 사진을 찍을 수 있을지 불안해졌다. 그러나 미나마타역 근처에 도착했을 무렵, 마실 거라도 살까 하고 차를 세웠더니 딱 비가 멈췄다.

비 개인 산은, 산등성이가 선명하고 고요하다. 흐린 하늘에서 뻗어 내리는 빛은 바다의 표정을 풍부하게 한다. 인기척은 거의 없지만, 살아 있는 것의 기운이 그득하다. 오랜만에 홀로 어슬렁어슬렁 사진을 찍는 게 즐거워졌다. 서점을 시작한 지 얼마 되지 않아 어디에도 나가지 않던 시절이었다. 예기치 않게 사치스러운 하루를 얻었다.

미나마타 지리를 잘 몰라서 우선 바닷가로 향했다. 모도, 후쿠로, 유도, 하쿠겐항……. 이시무레 씨의 글에 의지해 옛 미나마타 풍경을 떠올려본다.

여기저기 차를 몰고 가 사진을 찍기 시작했다. 선착장, 건너편 섬, 거리 풍경, 신일본질소미나마타공장. 몇 장 찍는 동안 수은에 오염된 생선을 먹고 미쳐 날뛴 미나마타의 고양이들이 머릿속에 떠올랐다. 그래서 고양이 사진도 찍고 싶다는 생각에 찾기 시작했지만, 좀처럼 보이지 않았다. 평소라면 고양이의 기척은 바로 느끼는데, 어디에 있는지 짐작조차 가지 않았다.

미나마타의 고양이는 인간에게 너무나 화가 나서 자취를 감춘 걸까? 무작정 바닷가를 달리며 이런 생각을 하고 있는데, 갑자기 주택 앞에 회색 고양이가 오도카니 앉아 있는 게 눈가를 스쳤다. 차를 세우고 슬금슬금 다가가도 도망갈 기색이 없다. 발과 배만 하얗고 털이 북실북실하다. 바로 앞까지 다가가도 가만 있길래 셔터를 누르는데 어디에선가 또 한 마리, 두색털 고양이가 나타났다. 당황해서 렌즈를 들여다보니 주택 안쪽에서 두색털 고양이와 비슷한 흰검 고양이가 잇따라 나타나 어느새 빙 둘러싸였다. 큰 녀석도 있는가 하면, 아직 새끼 고양이 같은 작은 녀석도 있다. 사람을 잘 따르는 고양이들이라 쓰다듬어도 싫어하는 기색이 조금도 없다. 오히려 다른 데서 온 인간이 어딘지 신기한 듯 발을 내밀어 장난을 치는 녀석마저 있다.

기쁜 나머지 정신없이 찍고 있는데, 언제 움직였는지

두색털 고양이가 방파제 위에 당당한 모습으로 앉아 있다. 바다를 배경으로 찍으려고 가까이 다가갔다가 알아차렸다. 귀가 조금 찢어져 있었다. 싸워서 그런 거라면, 정면에서 달려든 적으로부터 도망치지 않았다는 것이니 강한 녀석일지도 모른다.

바닷가로 내려가려고 하자, 고양이들도 줄줄 따라왔다. 고양이는 보기 좋게 복슬복슬하고, 배가 고파 보이지도 않았다. 호기심에 따라오는 것 같았다. 함께 해변에 내려오니, 굴러다니는 나무 조각에 발톱을 긁거나 새끼 고양이들끼리 장난치며 논다. 내 움직임에는 전혀 신경 쓰지 않고 존재를 받아들이는 것 같다. 고양이들 곁을 떠나기 어려워 한없이 셔터를 눌렀더니 필름을 다 썼다.

아라이 씨를 처음 만난 것은 미나마타 사진을 찍기 얼마 전의 일이다. 시인 이토 히로미 씨와 대담을 하러 구마모토에 왔을 때 들러주셨다. 아직 서점을 열지 않았을 무렵으로, 카페의 한쪽에서 책도 조금씩 팔고 있었다. 그래서 스위치 퍼블리싱의 영업 담당자가 한번 가보라고 한 것이다. 대담을 기획했던, 당시 구마모토근대문학관 직원이었던 바바 씨가 안내해 저녁에 열린 뒤풀이에 갈 때까지 느긋하게 있다 갔다. 나도 뒤풀이에 초대받았지만, 문을 닫고 가면 늦어서 못 갈지도 모르겠다고 하니, 두 사람이 나가면서 웃는 얼굴로 "자, 이따가 봐요"라고 해서 잠깐 들르기로 했다.

그 자리에 이토 히로미 씨와 강신자 씨도 있었다. 지금은 서점의 단골손님이 된 신문기자와 대학 교수도 몇 명인가 있었다. 도착한 지 30분도 지나지 않아 뒤풀이는 끝났지만 간다 안 간다 말할 틈도 없이 2차에 끌려갔다. 사람이 많아서 마땅한 술집을 찾지 못했는데 누가 노래방이라면 느긋하게 이야기할 수 있지 않을까, 라고 말해 택시로 움직이기로 했다.

2차가 시작되자 모처럼이라며 노래를 부르는 사람이 있는가 하면, 그 옆에서는 옹색하게 무릎을 맞대고 문학행사를 계획했다. 이토 씨가 구마모토문학대에 들어오라고 권유하고, 아라이 씨는 이토 씨의 시 낭송회를 열고 시집의 원화 전시회도 하자고 했다. 스위치 퍼블리싱에서 이토 씨의 시집 『코요테의 노래コヨーテ·ソング』가 막 출간되었을 때였다.

돌아오는 길에는 같은 방향이라 아무 생각 없이 강신자 씨와 함께 걸었는데, 준비 중인 행사의 조언을 구하고 싶다며 같이 하자는 권유를 받았다. 그때, 지금은 구마모토문학대를 이끄는 아토가미 씨도 같이 걷고 있었다. 한꺼번에 여러 가지 일을 같이 하자는 소리를 듣고 술에 취해 비틀비틀 집에 갔다. 모두 진심일까, 술자리였는데, 라는 생각이 들었다. 하지만 모두 차례차례 정말로 연락을 해서 다이다이 서점은 구마모토문학대의 사무국이 되고, 이토 씨의 시집 원화전과 시 낭송회를 열고, 강신자 씨의 책을 바탕으로 한 다큐멘터리의 주인공 나미이 할머니의 노래 모임을 하고…… 이런 게 끊이지 않고 아직까지 계속되고 있다.

왜 여러 사람이 서점에 옵니까, 라는 질문을 받은 적이 있는데 나도 잘 모른다. 고맙게도 그런 서점의 주인이 된 것뿐이다. 실은 내가 기획한 행사는 거의 없다.

그때도 음악 관련 행사와 전시는 하고 있었다. 하지만 책에 이끌린 계기가 된 것은, 지금 생각하면, 그날일지도 모르겠다. 그로부터 1년이 지나 나는 서점을 하게 되었다.

고등학생 때는 용돈이 없었기 때문에 금지였던 아르바이트를 몰래 해서 책을 사거나 영화를 보곤 했다. 그래서 당시에 잡지를 산다는 건 엄청난 사치였다. 그래도 큰맘 먹고 샀던 게 아라이 씨가 만든 《스위치SWITCH》였다. 책을 읽거나 영화를 보고 좋아했던 사람들의 인터뷰와 사진이 실려 있어서 서점에서 한번 읽는 것만으로는 성에 차지 않았다. 톰 웨이츠, 빔 벤더스, 존 어빙……. 지금처럼 인터넷에서 갖가지 정보를 얻을 수 없었던 시대에 《스위치》에는 알고 싶은 것이 잔뜩 실려 있어서 그들의 이야기를 들을 수 있었다.

빛바랜 잡지를 지금도 몇 권 갖고 있다. 몇 차례 이사를 했지만 버리지 않은 건, 페이지를 넘기면 젊은 날의 내가 보이기 때문일지도 모른다.

행사를 하거나 《스위치》에 연재를 하는 등 아라이 씨와 일을 하게 됐다는 걸 알게 되면, 그 무렵의 나는 무척 놀랄 것이다. 인연이란 신기한 것이다.

운영하고 있던 카페 옆에 서점을 열었을 때 아라이 씨는 바로 와주셨다. 그리고 상상한 것보다 훨씬 좋다고 말씀하셨다. 서점을 하게 된 것을 진심으로 기뻐하는 것 같았다.

서점에서 일한 경험도 없어 불안하기 짝이 없었던 나는, 그 말에 무척 안도했다.

버스 정류장

요전에 오랜만에 쿠루밋코를 받았다. 가마쿠라의 과자로 호두가 가득 차 있다. 좋아하는 과자지만 직접 사본 적은 한 번도 없고 늘 선물로 받았다. 지난번에는 전 직원이었던 노리 짱이 보내주었다. 액세서리를 만드는 노리 짱은 납품할 때마다 신기한 과자를 덤으로 넣어서 보낸다. 좋아하는 거라고 감사 문자를 보내면 아는 과자라니…… 라며 분하게 여겼다.

구마모토 대지진 때는 상자 가득 쿠루밋코를 넣어 보내준 사람도 있다. 쿠루밋코만이 아니다. 여러 사람이 갖가지 물건을 보내줘서 정말 고마웠다.

오랜만에 먹으니 스즈키 루미코 씨의 얼굴이 떠오른다. 처음 만났을 때 그녀는 가마쿠라에 살고 있어서 선물로 쿠루밋코를 보내주었다.

얼마 전에 루미코 씨로부터 오랜만에 연락이 왔다. 서평 쓰는 일을 하고 있는데, 소개한 책에 대한 질문이랄까 보고였다. 『먼 길長い道』이란 책.

수년 전에 이시무레 미치코 씨의 수필과 함께 다이다이 서점에서 산 건 확실하지만, 추천한 게 이시무레 씨였는지 둘 다였는지 애매해서. 구마모토의 다이다이 서점 대표 히사코 씨가 추천한 게 아니었을까, 라고 멋대로 이름을 쓰고 말았습니다, 라고 쓰여 있었다.

하지만 분명히 히사코 씨가 추천했었다고 생각해. 새삼스러운 말이지만 읽어보니 좋은 책이었으니까.

중얼거리는 것처럼 한마디가 덧붙어 있었다.

『먼 길』은 유소년기에 한센병이 발병해 열 살에 세토내해의 나가시마섬에 있는 국립요양소 '나가시마아이세이엔長島愛生園'에 입소한 이래 70여 년을 살고 있는 미야자키 가

즈에 씨가 여든 살이 넘어 쓴 책이다. 꽤 오래전에 읽었는데, 되는 대로 사람들에게 추천했던 기억이 있다. 루미코 씨가 관심을 보여서 그녀에게도 추천했음에 틀림없다. 여든을 넘겼다 해도 독서를 즐기는 미야자키 씨의 문장은 신선하고 단정하다. 우리가 상상도 못할 고통, 외로움, 아픔이 있었겠지만, 미야자키 씨가 눈과 마음으로 좇는 것은 일상의 작은 기쁨과 우리가 지나칠 만한 길섶의 아름다움이다. 좁은 곳에 갇혀 있어도 마음은 갇혀 있지 않다. 미야자키 씨는 두 번째 책 『나는 한 그루의 나무私は一本の木』의 후기에 이렇게 단호하게 썼다.

> 나병 환자든, 세계 제일 부자든 무슨 차이가 있겠습니까. 아무 차이도 없습니다. 나는 자유 그 자체입니다.

이 책을 루미코 씨에게 추천했던 건 서점에서 토크 이벤트를 했을 때였다고 생각한다. 느긋하게 이야기한 기억은 없지만 그녀가 책을 고를 때 추천할 만한 책이 있느냐고 물어봤을 것이다.

행사를 할 때는 언제나 허둥대느라 멀리서 와준 사람

들과도 잠깐이나마 느긋하게 이야기할 틈이 없다. 우선 누군가와 단둘이 있는 경우가 없다.

루미코 씨와 만나는 건 그런 때뿐이었다. 이야기를 해야할 사람이 여럿이라 늘 충분히 이야기하지 못한 기분이 남는다.

딱 한번 둘만 있었던 적이 있다. 루미코 씨가 구마모토에 일을 하러 온 김에 서점에 들렀을 때다. 도착하자마자 아쉬운 듯 말했다.

시간이 별로 없어. 더 빨리 왔으면 좋았을걸. 문 열 때까지 시간이 있어서 마사지를 받으러 갔더니 얼굴에 시트 자국이 남아서, 부끄러워서 없어질 때까지 어슬렁거렸지 뭐야. 그게 뭐라고 그냥 올걸 그랬어.

그렇게 말하고 부끄러운 듯 웃고 있었다.

루미코 씨가 서점을 나가려고 하자 빗방울이 떨어지기 시작했다. 우산을 빌려주려고 하니 비행기에 타면 괜찮다고 한다. 그럼 버스터미널까지 배웅할게요. 왠지 헤어지기 싫어서, 엉겁결에 말하고 말았다. 손님이 없는 걸 다행으로 여기며 문을 잠그고 나섰다. 대합실까지 가면 비를 피할 수 있으니 바로 돌아올 작정이었는데, 흔치 않은 기회 같다는 생각에 버스가 올 때까지 같이 있겠다고 말해버렸다. 예기치 않게 손에 넣은, 빈틈 같은 시간을 놓치기 아까웠다.

우리 말이야, 언제 만나든 충분히 얘기를 못한 것 같지 않아?

벤치에 나란히 앉자, 루미코 씨가 무심코 이렇게 말을 건넸다. 기쁜 나머지, 둘 다 할머니가 되면 천천히 데이트를 하자고 했다. 루미코 씨도 그거 재밌겠다, 꼭 데이트하자며 싱긋 웃어주었다.

얼마 전에 나보다도 훨씬 루미코 씨와 친했던 요시모토 유미 씨로부터 연락이 왔다. 부고였다. 루미코 씨는 할머니가 되지 못했다. 요양 중이었다는 건 알고 있었지만, 미주알고주알 캐물을 만한 사이는 아니었다. 그래서 오랜만에 연락을 받았을 때는 기뻤고 안도했다. 다시 만날 거라고 생각했었다.

요시모토 씨의 문자에는 루미코 씨의 인스타그램이 업데이트되지 않아서 무척 불안했다고 쓰여 있었다. 나는 SNS에 어두워서 본 적이 없었다. 신경이 쓰여 컴퓨터로 이름을 검색해 보니 인스타그램뿐 아니라 트위터도 있었다. 『나는 한 그루의 나무』에 관한 리트윗이 마지막이었다. 루미코 씨는 이 책을 읽었을까? 미야자키 씨의 글은 조금이나마 마음에 위로가 되었을까?

그러고 보니 출간된 지 꽤 오래 지났는데 아직 『나는 한 그루의 나무』를 끝까지 읽지 못했다. 지금이 읽을 때 같다는 생각이 들어 그날부터 읽기 시작했다. 읽는 동안 자주 루미코 씨의 얼굴이 떠올랐다. 이를테면 「남편」이라는 글.

식사 준비를 하는 가즈에 씨를 집 뒤편에 있는 남편이 자꾸 부른다. 가즈에 씨는 하던 일을 멈추고 싶지 않았지만, 몇 번이고 부르는 통에 하는 수 없이 문 옆까지 간다. "왜?" 라고 하려고 한쪽 발만 바깥으로 내딛자, 헛간과 집의 차양 사이로 보이는 하늘이 밝은 검붉은 색으로 물들어 있다. 다시 맞은편에서 기다리고 있는 남편에게 가까이 다가가자, 서쪽 하늘의 너무나도 붉은 저녁놀에 가즈에 씨는 아아 하고 수긍했다. 남편은 "아까는 더 붉었어"라고 살짝 아쉬운 듯 말한다. 그리고 그 후로도 가끔 불려나가 아름다운 서쪽 하늘을 보게 되었다.

그로부터 1년인가 그즈음, 이번에는 밤하늘을 올려다

보던 남편이 “여보, 잠깐 나와 봐” 하고 불렀다. 구름 한 점 없는 아름다운 밤하늘에 둥글고 큰 달이 하나, 둥실 떠 있다고 했다. 실은 가즈에 씨는 눈이 이상해져 금색 접시 예닐곱 개가 훌훌 펴져서 늘어선 것처럼 보이지만, 그렇게는 말하지 않았다. 남편은 눈의 상태를 모르기 때문이다. 보여주고 싶은 기분을 잘 아는 가즈에 씨는 “좋지?”라고 하는 남편에게 “응, 응”이라고 대꾸한다.

루미코 씨의 부고를 전해준 요시모토 씨는 달 보는 걸 무척 좋아한다. 나도 좋아하기 때문에 보름달이 뜬 밤에는 자주 문자를 주고받는다.

달, 봤어?

아름답네요.

조금 가려졌네.

시시한 문자 주고받기다.

늘 바빴던 루미코 씨는 마지막으로 보낸 문자에 느긋하게 요양 중이라고 했다. 달과 저녁노을을 느긋하게 바라본 적이 있을까? 그랬으면 좋겠다. 그리고 같이 볼 수 있었다면 더 좋았을 거라고 생각한다. 할머니가 될 때까지 기다리지 않았으면 좋았을걸이라고 생각한다.

마지막 문자에는 할머니 데이트, 나도 잊지 않았어요, 라고 쓰여 있었다.

투명한 손님

바람이 세게 부는 날은 보이지 않는 손님이 들어온다.

온화한 날에는 창문을 열어둔다. 그러면 바람이 지나갈 때 삐걱 하고 문이 흔들린다. 서점을 막 이전했을 무렵에는 소리가 날 때마다 돌아봤다. 어서 오세…… 무심코 인사를 하는 경우도 있다. 그런 날은 사람이 들어오는 것보다 문이 덜컹거리는 게 압도적으로 많다. 문이 열려도 사람이 들어오지 않아, 카운터석에 앉아 있는 손님이 이상하다는 듯한 얼굴을 하고 입구를 본다.

예전 점포는 뒷골목의 아케이드 안에 있었기 때문에

이사한 곳에서는 빛과 바람이 들어온다는 게 신선했다. 손님도 창문 밖이 보이는 게 즐거워 보였다. 노면전차가 지나가는 것도 보이고, 사람이 오가는 것도 볼 수 있다. 봄에는 얼핏 벚나무도 보인다. 눈앞이 가로수인 창문도 있다. 지금은 푸른 잎으로 울창하다. 푸른 잎새가 창문 너머로 펼쳐져 있어서, 에어컨을 켠 시원한 서점 안에서 정원처럼 즐길 수 있다.

언젠가 손님이 창문 너머의 가로수는 무슨 나무냐고 물어봐서 플라타너스인가 하고 적당히 대답했다. 그런데 그 손님이 다시 오셨을 때 대만풍나무 아니냐고 하셨다. 가실 때 찾아보라고 다시 한번 말씀하셨지만 어수선해서 잊어버렸다.

이튿날, 서점 앞에 나뭇잎 한 장이 떨어져 있었는데 찾아보지 않았다는 게 생각나서 잊어버리지 않으려고 주웠다. 먼저 '플라타너스 잎'으로 이미지 검색을 해보니 가장자리가 들쭉날쭉하고 삼등분으로 갈라진 잎사귀였다. 주워온 잎은 다섯 갈래로 갈라져 있고 그다지 들쭉날쭉하지 않았다. '대만풍나무'로 찾아보니 부드러운 잎사귀 느낌은 비슷하지만 이것도 세 갈래로 갈라져 있다. '대만풍나무 잎 다섯'으로 검색해 보니 미국풍나무라는 이름이 나왔다. 대만풍나무의 한 종류였다. 기뻐서 나무 이름을 알려준 손님에게 미국풍나무였다고 바로 문자를 보냈더니 "손 모양이죠, 잎"이라고 답장이 왔다. 확실히 약간 통통하고 짧은 아기의 손 같다. 바람이 불면 많은 손이 하늘하늘 흔들린다.

문자의 답장은, 그녀의 꽤 좋은 추억 이야기로 이어지고 있었다. 하지만 그 이야기는 쓸 수 없다. 그 추억은 그녀의 것이니까. 창문 너머로 손이 하늘하늘 흔들릴 때마다 남몰래 떠올리며 즐거워하고 있다.

손님은 이쪽 상황에 맞춰서 와주는 게 아니기 때문에 몇 시간 동안 아무도 오지 않는 경우도 있는가 하면, 한꺼번에 다섯 명 정도가 오는 경우도 있다. 좁으니까 다섯 명 정도로도 혼잡해 보인다. 다섯 명 중 한 명이 그 후로 오지 않았다면 무척 잘되는 서점이라고 생각했을 것이다.

처음 문을 열었을 무렵에는 몇 시간이 지나도 손님이 없으면 속이 말이 아니었지만, 오랫동안 운영하니 기다리는 것도 괴롭지 않게 되었다. 익숙해진 것도 있을 테고, 배짱이 두둑해졌다고 말할 수 있을지도 모른다. 이사한 뒤로는 좁아진 대신 월세도 줄어서 점점 평온해졌다.

오래전에 영화 〈카모메 식당〉(오기가미 나오코, 2007)을 봤다. 핀란드 헬싱키에서 식당을 운영하는 일본인 여성이 주인공으로 영화 초반에는 손님이 한 명도 오지 않는다. 몇 가지 사소한 일이 벌어지며 차츰 손님이 오는데, 영화가 끝날 무렵 식당은 손님으로 가득하다. 그 후 주인공이 수영장에 둥둥 뜬 채 "카모메 식당이, 마침내, 만석이 되었습니다"라고 말하는데, 그 장면에서 울고 말았다. 가게를 시작했을 때의 불안한 마음과 손님이 들어오기 시작했을 때의 안도가 되살아나서 그랬을 것이다. 아직 서점은 시작하지 않고 카페만 하고 있었을 때의 일. 오니기리를 만드는 장면에서 엄청나게 배가 고팠는데 울어버린 나머지 더 허기가 졌다. 돌이켜 생각해 보면, 젊었구나 싶어 부끄럽기도 하다.

〈카모메 식당〉은 한동안 근처의 덴키칸이라는 영화관에서 재상영했다. 그래서 영화관 스태프들의 요청으로 카모메 식당 메뉴를 몇 가지 만들었다. 오니기리(주먹밥), 부타쇼가야키(돼지고기생강구이), 니꾸자가(소고기감자조림), 파프리카 킨피라(파프리카볶음).

그리고 꽤 시간이 흐른 뒤, 〈카모메 식당〉의 푸드 스타일링을 담당한 이이지마 나미 씨를 친구인 가와우치 린코 짱이 데리고 왔다.

처음에는 부끄러워 말하지 못했지만, 같이 술을 마시고 친해졌을 때 카모메 식당의 메뉴를 내놓은 적이 있다고 자백했다. 맛은 전혀 달랐을 게 틀림없지만 손님들은 영화를 보고 배가 고팠기 때문에 좋아했다. 그렇게 말하자, 더 일찍 만났다면 레시피를 가르쳐줬을 거라고 했다. 분명 빈말이 아니라 진심으로 그렇게 말해준 거라고 생각한다.

나미 씨와 이야기를 하고 있으면, 왜 그런지 설명하기 어렵지만, 그녀가 만든 요리는 틀림없이 맛있을 거라고 생각하게 된다.

무코다 구니코의 드라마 〈데라우치 간타로 일가寺内貫太郎一家〉(도쿄 변두리에서 석재상을 운영하는 데라우치 일가를 그린 가족 드라마로, 1974년 TBS에서 방영해 큰 인기를 얻었다—옮긴이)에는 각본에 식단이 쓰여 있었다고 한다. 식단이 여러 형태로 드라마 속에 관련되어 있고, 소모품(극 중의 음식을 이렇게 말했다) 담당자가 식단을 자세히 지시해달라고 했던 것 같다. 드라마를 연출한 구제 데루히코의 『무코다 구니코와의 20년向田邦子との二十年』에서 읽었다.

각본에는, 예를 들어 〈데라우치 간타로 일가·오늘 아침

식단〉이라는 이름으로 '말린 전갱이에 갈은 무, 미토낫토, 두부와 양하 된장국, 순무와 오이 겉절이' 등이 쓰여 있다. 그 시대의 흔한 아침상이지만, 무척 풍성한 상차림이라 부러운 마음이 든다. 글자로 읽는 것만으로도 배가 고프다. 앞치마를 한 가토 하루코(간타로의 아내 역)가 눈에 선하다. 자주 뒤엎였던 밥상도 떠오른다.

어느 날은 이것저것 평소처럼 늘어선 메뉴 마지막에 '어젯밤에 먹다 남은 카레'라고 쓰여 있던 모양이다. 이 '어젯밤에 먹다 남은 카레'라고 쓰여진 각본을 보고 엄청 흥분했던 것 같다. 맞아, 그런 거 있었어! 공유할 수 있는 기억이란 포근한 분위기를 만든다. 이 반가움 같은 것을 어떻게 하면 텔레비전을 보는 사람들에게도 전할 수 있을까 생각한 결과, 구제 데루히코 씨는 그 주의 식단을 그대로 아침식사 장면에 자막으로 내보냈다고 한다. 전국에서 텔레비전을 보고 있던 사람들이 얼마나 '맞아! 저런 거 있었지' 하고 생각했을까. 그리고 이어지는 저마다의 어젯밤의 기억.

구제 데루히코 씨는 '어젯밤에 먹다 남은 카레'에는 자그마한 인생의 진실이 담겨 있다고 썼다. 무코다 구니코 씨는 각본이든 소설이든 인생의 소소한 진실을 별것 아닌 한

마디나 행동, 식단에까지 담을 수 있는 사람이었다.

스크린으로 이이지마 씨의 요리를 봤을 때, 무코다 구니코 드라마의 식탁을 떠올렸다. 구제 데루히코 씨의 책을 다시 읽다가 깨달았다. 이이지마 씨가 만드는 요리의 색이나 모양, 피어오르는 하얀 김은 우리들의 기억과 연결된 것 같다. 이이지마 씨의 요리는 일상과 분리되어 있지 않다.

어젯밤, 라이브가 있었다. 우쿨렐레를 연주하는 제로키치 씨와 악기를 연주하며 노래하는 친페이 군. 친페이 군이 꽤 오래전에 만들었다는 추억 속의 노래를 불러주었다. 친페이 군이 젊은 시절에 쓴 가사가 부끄럽다고 하니, 듣는 우리의 그 시절의 부끄러운 기억도 함께 되살아났다. 제로키치 씨는 이사하기 전에 만들어준 〈DAIDAI〉라는 곡을 연주했다. 다이다이 서점을 상상하며 만들었다는 그 곡은 이사한 지금의 자리에도 잘 어울린다. 이사 전, 마지막 라이브는 제로키치 씨였다. 그때 이 곡을 들으며 몇 가지 기억의 조각이 머릿속에 맴돌았던 것이 떠올랐다.

어젯밤에 먹다 남은 카레 같은 기억이 여기에도 있을까? 문을 연 후 지금까지 몇 명의 손님이 왔었는지 짐작도 가지 않는다.

노래와 말, 혹은 사람…… 가지각색의 무엇인가가 누구나의 기억과 조금이라도 겹치면 됐다. 같지는 않겠지만, 저마다의 비슷한 감정을 끌어내는 기억의 조각.

맞아 맞아, 그런 거 있었어.

오늘은 토요일이었는데, 왔던 사람의 얼굴을 전부 떠올릴 수 있을 정도로 손님이 없었다. 창문도 열지 않아서 바람에 문이 열린 일도 없다. 어쩌면 손님이 열었던 것보다 내가 열었던 게 훨씬 많았을 것이다. 하지만 매일 그런 게 아니라면 이런 날도 좋다. 멀리서 온 손님과 느긋하게 이야기할 수 있었고. 창문 너머에는 미국풍나무 잎이 팔랑팔랑 손을 흔들고 있다.

멀리 있지만 가까이 있는 사람

멀리 살고 있는데, 조금도 멀리 있다고 느껴지지 않는 사람이 있다. 린코 짱도 그런 사람이다.

내가 서점을 시작한 무렵에 린코 짱은 아소의 들불 놓기 촬영을 시작했고, 그로부터 2년 정도 지나 함께 아는 지인이 소개해주었다.

들불 놓기는 봄이 가까워지면 한 달 정도 진행된다. 그래서 매년 봄이 가까워지면 린코 짱이 나타나게 되었다.

몇 번째 왔을 때였을까. 그해는 바람이 강해서 들불 놓기가 연기된 상황이었다. 이번에 갈 때는 촬영이 가능할 때까지 있고 싶으니까 서점 2층에 묵으면 안 될까, 라고 연락이 왔다. 그곳에 묵는 사람이 있다는 이야기를 했었기 때문일 것이다. 당연히 좋다고 답했다. 도착하는 날을 묻자, 연시聯詩의 발표일이었다.

두 차례, 서점을 연시의 창작 장소로 제공한 적이 있다. 구마모토문학대의 대장인 이토 씨의 제안이었다. 종장宗匠은 모두 다니카와 슌타로 씨로, 첫 번째 시는 요쓰모토 야스히로 씨까지 세 사람이 엮었다. 두 번째 시는 가쿠 와카코 씨와 제롬 로젠버그 씨가 가세한 다섯 명에 통역인 제프리 앵글스 씨도 참여했으니, 꽤 떠들썩한 연시가 되었다. 너무 떠들썩한 나머지 다니카와 씨는 중간에 조용한 서점 2층으로 작업실을 옮겨, 모두 종장에게 묻고 싶은 게 있으면 오르락내리락했다.

내 일은 시인들의 뒷바라지였다. 점심을 준비하거나 마실 것을 준비하거나 이토 씨로부터 이 시랑 저 시 중에 어떤 게 괜찮냐고 질문을 받거나 했다. 가장 조용하게 있던 사람은 다니카와 씨로, 프린터기 한 대 더 없냐고 물어보시길래 없다고 답하니 이튿날 후딱 전자제품 대리점에 혼자 가서 사 오셨다.

린코 짱이 촬영을 끝내고 도착했을 때, 나는 연시 모임의 회식 장소에 있었다. 린코 짱이 서점에서 기다리기로 했지만, 2차를 가자는 사람들이 같이 와서 결국 린코 짱도 함께 술을 마셨다. 낮부터 이어진 행사였기 때문에 12시가 되기 전에 삼삼오오 돌아가서 린코 짱과 둘만 남았다.

이토 씨가 준 맛있는 술이 남아 있고, 오랜만이니까 한 잔만 더 마시자. 아쉬워서, 1800밀리미터짜리 한 병을 부둥켜안고 서점 바닥에 주저앉아 마시기 시작했다. 나는 술이 그다지 세지 않은데, 그날은 꽤 마셨던 것 같다. 죽이 잘 맞는다는 건 서로 잘 알고 있었지만, 아직 긴 시간을 함께 보내지 않은 시절이었다. 이야기할 게 산더미 같았을 것이다. 밤새 이야기를 나누다 곤드레만드레 취해 마지막에는 바닥에 드러누웠다. 린코 짱이 2층에서 같이 자자고 했지만 손님을 맞아야 하니까 씻으러 가야지, 하고 날이 밝을 시간에 집으로 돌아왔다.

까무룩 잠들어버려서, 뭣하면 조금 늦게 열어도 괜찮아, 라고 생각하며 나갈 준비를 하고 있는데 전화벨이 울렸다. 가쿠 와카코 씨였다. "다니카와 씨가 가기 전에 서점에서 점심을 먹고 싶다고 하시는데, 몇 시쯤 오시나요?"라고 물었다. 잠을 제대로 못 잤고, 숙취에 시달리는 와중에 싱크대에는 설거짓거리가 넘쳐났다. 아무리 늦어도 정리를 하지 않고 돌아온 적은 한 번도 없었는데, 그날만큼은 너무 취해서 설거지를 하다 깨뜨릴까 봐 그대로 둔 것이다. 진땀이 흘렀지만, 어떻게든 여느 때처럼 문을 열었다.

먼저 린코 짱에게 자고 있어도 괜찮지만, 곧 다니카와 씨가 올 거니까 1층으로 내려올 땐 옷을 갈아입으라고 전했다.

잠시 후, 롤라이 카메라를 목에 건 린코 짱이 내려왔다. 린코 짱은 다니카와 씨와 일한 지 얼마 안 되어서 먼저 재회의 인사를 나눴다. 그리고 숙박에 대한 답례로 사진을 찍을까 한다고 말했다. 문학대 사람도 몇 명인가 와 있어서, 가와우치 씨가 찍어주는 거냐며 크게 기뻐했다. 서점 앞에 서서 마치 가족 모임 같은 기념사진을 찍었다. 나중에 그 사진을 프린트해서 보내줬는데, 모두 쾌활하게 웃고 있었다. 어느 사진을 봐도 무뚝뚝한 표정이거나 어색한 미소를 짓는 나조차도 정말 기쁜 듯이 웃고 있다. 그때가 사진을 보면 생생하게 떠오른다.

그저 그런 기념사진이 되어도 이상하지 않은 사진이 그렇게 되지 않는다. 어디가 다른 건지는 모르겠지만, 린코 짱의 사진이 왜 사람의 마음을 끌어당기는지 조금이나마 알 것 같았다.

이 무렵이었을 것이다. 린코 짱이 서점의 서가를 보고 "여전히 약자의 책만 가득하네. 그런 면에서 전혀 흔들림이 없네"라고 중얼거린 적이 있다. 나는, 그런가 하며 서가를 바라보고, 의식한 적은 없지만 확실히 약자들뿐이네, 하고 수긍했었다. 미나마타병 환자에 한센병 요양소 입소자, 전쟁의 무수한 피해자, 이런저런 이유로 차별당하는 사람들, 의지할 데 없는 사람……. 마음이 가는 책을 고른 것이다. 귀를 기울이고 싶은 것은 가냘픈 목소리로, 그 목소리는 사람을 억누르려고 하는 큰 목소리보다도 힘차고 매력적이다.

그런데 린코 짱은 훗날 내 첫 책의 추천사에서 "약자의 이야기가 쓰여 있다는 의미뿐 아니라 약해진 사람들을 위한 책이 놓여 있다는 의미도 있었다"고 했다. 서가를 보고 있을 때나 린코 짱의 사진을 보고 있을 때, 때때로 그 말들을 떠올리며, 지금도 흔들리지 않고 있을 수 있을지 생각한다.

린코 짱은 그 뒤로 계속, 들불 놓기 촬영이 끝나도 끊임없이 와주었다. 서로 누군가와 헤어지거나 만나거나, 일에 변화가 생기거나…… 여러 가지 일이 있었다. 우리들은 만날 때마다 그간 있었던 일을 나눴다. 언제나 구마모토에서 만나, 린코 짱이 카운터석에서 한잔하면서 손님과 이야기를 나누거나 책을 고르며 일이 끝나는 걸 기다려주었다. 그러는 동안 린코 짱은 도쿄에서 구마모토가 고향인 사람을 만나 구마모토와 더 깊게 이어졌다.

첫 책이 나왔을 때 도쿄에서 행사를 하게 되었다. 계속 언제 한번 놀러 오라고 했던 린코 짱네 집에 드디어 갈 수 있게 되었다. 자고 가라고 해서, 편집자 가와구치 씨와 구마모토에서 동행한 두 사람과 함께 린코 짱의 집에서 신세를 졌다.

린코 짱의 집은 도심에서 떨어진, 강 근처의 자연에 둘러싸인 곳에 있었다. 처음 가보는 곳이란 느낌이 전혀 없는, 들어간 순간 할머니댁에 놀러 온 것 같은 친근감이 들었다. 안심하고 긴장을 풀어도 좋은 곳이라고 느꼈다. 행사가 끝나고 밤늦게 도착했는데, 야외 테라스에 순식간에 진수성찬이 차려졌다. 키마 카레와 가지각색의 여름 채소에 와인. 요리를 잘한다는 건 알고 있었지만, 먹는 건 처음이었다. 린코 짱의 배우자 료 씨도 자지 않고 기다려줘서 작은 파티가 되었다. 강은 물 흐르는 소리가 들릴 정도로 가깝다. 7월이라는데, 바람이 시원해 밖에 있어도 선선하고 쾌적하다. 건너편 강기슭, 나무들이 우거진 안쪽은 어둡지만, 살아 있는 것의 기운이 있다. 고요하고, 활기찬.

밥을 먹은 뒤 거실로 돌아가자, 큰 창으로 달이 보였다. 달 아래에서는, 어둠 속에서 대나무가 가만히 흔들리고 있다. 마음을 터놓은 사람들에게 둘러싸여 그 광경을 보고 있던 시간은, 지금도 선명하게 떠오른다. 말은 그다지 필요 없었다.

다음 날은 오후 늦게까지 린코 짱의 집에서 느긋하게 있었다. 테라스에서 점심을 대접받고 그대로 밖에서 잠들어 버렸다. 정말 여름방학의 할머니댁 같았다. 햇살이 강해져 몸이 뜨거워지는 걸 느껴 눈을 떠보니, 린코 짱도 거실의 소파에서 자고 있었다.

료 씨가 밖에서 일을 하기 시작하더니 뭔가 손에 감싸서 가져왔다. 손을 펼치자, 깜짝 놀랄 만큼 아름다운 색의 비단벌레가 나타났다. 작은 몸에 빛을 받아 반짝반짝 빛이 났다. 금속 같은 이 광택을, 새는 무서워한다고 한다. 마치 무지개를 짊어지고 있는 듯한 벌레다. 린코 짱은 어느샌가 카메라를 가져와서 비단벌레를 찍기 시작했다.

이렇게 아무렇지도 않게 흘러가는 순간을, 린코 짱이 렌즈를 통해 포착하면 삶과 죽음, 그 경계가 떠오른다.

촬영이 끝나자 료 씨는 비단벌레를 살며시 바깥에 놓아주었다.

울보 여자들

학교 의자는 다른 의자와 뭐가 다른 걸까? 서점을 열 때 집기 등을 찾으려 중고가구점을 돌았다. 창고 같은 건물의 2층에 쌓여 있는 하얀 의자를 몇 개 샀다. 학교에서 하얀 의자를 본 적은 없지만, 본 순간 이건 학교 의자라고 생각했다.

새삼스럽지만 확인해 보니, 등받이 뒤에 고쿠요의 라벨이 붙어 있고, 166~179센티미터라고 쓰여 있었다. 그렇다면 고교생이 앉았던 걸까. 살 때는 그런 세세한 부분에 전혀 신경 쓰지 않았다. 이런 라벨이 있었나 하고 놀랐을 정도다.

잘 알아보고 물건을 사는 게 평소에도 안 된다.

학교 의자네, 라고 말하며 걸터앉는 손님도 많았다. 옛날 생각이 난다는 말이 그 뒤를 잇는다. 이사를 하면서 매장이 좁아지는 바람에 대부분 지인에게 주고 말았지만 한 개는 집에 남겨 놓았다. 앉는 부분에 무언가로 깎아 그린 듯한 그림이 남아 있다. 마치 데생했습니다, 라는 느낌으로 사람의 손이 그려져 있다. 손은, 움켜쥐기 직전의 모습이다. 혹은 보이지 않는 무언가를 쥐고 있는 것처럼 보이기도 한다. 아마 오른손잡이가 왼손을 보고 그렸을 것이다. 왜 이런 데에 그렸을까. 누가 그렸을까. 학생이 그렸을까. 설마 선생님은 아니겠지. 바닥에 앉아 그린 것 같은데, 수업 중에 그리진 않았겠지. 쉬는 시간일까, 방과 후일까. 방과 후에 친구와 수다를 떨며 무심코 손이 움직였을지도 모른다. 이 의자에 손을 새긴 사람은 지금도 어딘가에 있을까, 사라졌을까. 그 후 어떤 삶을 살았을까.

의자에 새겨진 손을 볼 때마다 상상의 나래를 펼치게 되는데, 손님도 이 의자가 신경 쓰이는 눈치였다. 지금은 집에 갖다 둬서 대체로 시라다마가 자고 있다. 고양이는 그림 따위 신경 쓰지 않는다.

사실은 다른 의자를 남길 작정이었다. 그 의자에도 그림이 그려져 있다. 그린 사람도 알고 있다. 가게를 시작한 직후부터 알고 지낸 일러스트레이터 고이케 아미고 씨다. 음악을 좋아하는 사람으로 몇 번인가 라이브를 기획해주었는데, 뒤풀이의 흥에 취해 의자 바닥 뒷면에 그림을 그려주었다. 당시 공연했던 오타유키 씨의 캐리커처다. 의자에 그리라고 말한 건, 아마 나였을 것이다. 분명, 손 그림이 머리를 스쳤음에 틀림없다. 게다가 의자라면 서점이 망해도 가져갈 수 있겠다고 생각했다. 그런데도 다른 의자를 남겨두고 말았다. 이사의 혼란 속에서 의자를 내줬는데, 잘못 건네주고 말았다.

그 사실을, 이 글을 쓰기 시작하면서 알아차렸다. 하지만 받아간 사람은 알고 있으니까 괜찮다. 두 사람인데, 모두 가게를 하고 있다. 레스토랑과 채소가게. 그래서 안심이다. 어디에 있는지 알면 가지고 있는 의자와 바꿔도 되고, 그대로 거기에 두고 가끔 보러 가는 것도 좋다고 생각하고 있다.

아미고 씨는 부끄럼쟁이다. 눈이 마주치면 거의 피한다. 사실은 정이 많은 사람인데 그런 내색을 하지 않으려 한다. 하지만 정이 많다는 게 완전히 드러나는 사람이다. 손님과 그림 그리기 워크숍을 하거나, 노래하는 사람을 데리고 오거나 해서 꽤 자주 시간을 보냈는데, 서점에 볼일이 없을 때도 구마모토에 오면 들른다. 시간이 얼마 없다며, 재빨리 맥주를 한 병 마시고 훌쩍 돌아간 적도 있다.

구마모토 지진 열흘 전에도 불쑥 나타났다. 서로 여전하다는 것을 확인하고, 다음에 또 보자며 언제든지 만날 수 있는 사람처럼 인사를 나누고 배웅했다. 보통은 멀리 떨어진 곳에 있지만, 마음은 이웃처럼 곁에 있다.

지진 후에는 진심으로 걱정해주었다. 아미고 씨가 걱정하는 건 구마모토만이 아니다. 동일본 대지진 뒤에는 몇 번이고 도호쿠에 가서 친구를 사귀고, 한결같이 그림을 그리고 있다. 아미고 씨는 자선이라는 말을 쓰지 않는다. 아미고 씨의 행동은, 지원이 아니라 소통이다.

구마모토 지진의 혼란이 약간 진정됐을 때, 아미고 씨가 당분간 서점에 그림을 걸어두면 어떠냐고 했다.

『아카사키 수요일 우체국赤崎水曜日郵便局』이라는 책의 표지 그림을 아미고 씨가 그렸다. 구마모토의 작은 마을에 있는, 폐교가 된 초등학교를 우체국으로 바꿔 이 세계의 어딘가에 살고 있는 사람들이 보낸 수요일의 일을 다시 다른 누군가에게 보내는 아트 프로젝트를 묶은 책이다. 아카사키 초등학교는 야쓰시로 해안가에 있다. 쓰나기마치란 곳으로, 주변이 산에 둘러싸여 있어서 학교 부지를 넓히지 못해 건물이 바다 쪽으로 비어져 나온 듯 있다. 그 학교가 우체통을 대신하게 됐다.

편지를 보낸 사람에게는 모르는 사람으로부터 편지가 간다. 이 기획을 들었을 때 편지를 보내고 싶다고 생각했지만, 게으름뱅이라 결국 쓰지 못했다. 그러니까 편지는 오지 않았지만, 그림이 왔다.

한 장뿐이라 누구나 볼 수 있도록 갤러리가 아닌 카페 쪽 공간에 걸었다. 하얀 벽에 바다가 쫙 펼쳐졌다. 지진으로 어수선했던 것은 대강 정리했지만, 천장에 떨어진 부분이 있거나 기둥에 금이 가서 아무래도 황폐한 인상을 지울 수 없었다. 하지만 그림 한 장이 거기에 있는 것만으로 충분히 밝아졌다. 바다에 반사되는 빛이 서점 안에도 들어온 것처럼.

옛 아카사키 초등학교는 산과 바다의 경계에 덩그러니 떠 있다. 한번 보러 간 적이 있는데, 신기한 곳이었다. 교실이 정말 바다 위에 있다. 배처럼. 이 초등학교의 졸업생은 바다 위에서 수업을 받고 있었다. 복도의 동그란 창밖으로 보이는 바다는 누구에게나 선명하게 남아 있을 것이다. 잔물결은 잠을 부르지 않았을까? 파도 소리에 되살아나는 기억은, 우리들의 그것과 전혀 다를 것이다. 선생님의 목소리와 분필이 칠판을 두드리는 소리, 학교의 차임벨. 되살아나는 기억은, 즐거운 것만 있는 건 아닐지도 모른다. 좋은 기억도 좋지 않은 기억도, 파도 소리가 데리고 온다.

비상계단의 난간 너머는 바다다. 나는 수영을 제대로 할 줄 몰라서 떨어지면 무섭겠다고 생각하고 말았지만, 바다 근처에서 자란 아이들은 수영의 달인이라서 아무렇지도 않았을 것이다. 그러고 보니, 고등학생 때 친구의 할머니댁이 이 동네 근처에 있어서 친구들과 놀러 온 적이 있다. 친구에게 이 동네의 소꿉친구가 있어서 다 함께 바다에 가보면 동네 아이들이 거침없이 헤엄치고 있었다.

바다 위에 있는 초등학교의 기억을 가진 사람들이 부럽지만, 이곳은 이제 폐교되어 들어갈 수도 없다. 옛 아카사키 초등학교 졸업생들은 학교의 의자를 보면 그리운 마음이 들고, 파도 소리가 들릴까?

아미고 씨로부터 러브레터를 받은 적이 있다. 직접은 아니고, 손수건과 같이 나가사키의 이사하야에서 날아왔다. ‘오렌지색을 한 구마모토 짱’이라는 제목의 글이었다. 손수건은 ‘PEACE 손수건’이라고 해서 동일본 대지진 후부터 몇 번인가 거듭 만들어진 것으로 매출의 일부가 어딘가에 기부된다. 아미고 씨의 디자인으로 일본열도가 작은 섬부터 전부 그려져 있고, 도호쿠 지역에는 빨간 하트가 있다. 그리고 아미고 씨가 만났던 도호쿠 지역 사람들에게 쓴 러브레터와 그들의 답장이 더해져 있다. 나는 부끄럽게도 이 사실을 줄곧 모르고 있다가 PEACE 손수건을 기획한 이사하야의 오렌지 스파이스라는 상점에서 보내준 것을 받고 처음 알았다. 수줍음이 많은 아미고 씨를 대신해 보내주셨다.

러브레터는, 서점과 서점에 모여 있는 울보 여자들에게 쓴 것이다. 예전에 아미고 씨가 데려온 우우진 씨의 라이브에서 손님 몇 명이 그녀의 노래를 듣고 울었다. 그 후로 ‘울보 여자들’이라고 불린다. 애정을 담아, 그렇게 부르고 있다. 아미고 씨의 편지는, 지진으로 마음이 후줄근해진 울보 여자들을 또다시 울렸다.

편지의 말미에 이렇게 쓰여 있었다.

나는 사랑스러운 오렌지 친구들과 '또 만나'라고 인사를 나누고, 가볍게 포옹하고, 마음속으로 '꼭이야'라고 반복하면서 가급적 뒤돌아보지 않고 여행을 계속한다.

'또 만나'는 잘 지켜졌다. 아미고 씨는 지진 후에도 바로 나타나, 이사한 곳에도 불쑥 찾아왔다. 맥주를 재빨리 마시고 또 봐, 라고 말하며 돌아보지 않고 계단을 내려갔다.

단골 여관

어라, 이게 뭐지. 손님이 중얼거렸다.

돌의 파편 같은 게 떨어져 있다. 엄지손톱만 한 크기에 매직으로 그린 것 같은 검은 선이 있다. 아까 쨍그랑 소리 났었지. 누군가 이렇게 말하자, 모두 두리번거리기 시작했다. 카운터 맞은편에서 천장을 올려다보고 있던 손님이 여기 아니냐고 말했다. 파편을 그 부분에 대보니, 딱 맞았다. 파편이 떨어져 나온 부분을 발견한 손님이 골조와 관계없으니까 괜찮다고 하자, 모두 후련한 마음으로 다시 잡담을 시작했다. 파편은, 어떻게 할 생각은 없지만 상자에 넣었다.

조금이라도 높아 보이게 하려고 널빤지를 걷어내서 천장은 그대로 드러나 있었다. 철사와 못이 보이고, 빌딩을 지을 때 한 표시인지 동그라미 같은 마크 등이 있어 보는 재미가 있다. 파편의 검은 선은 표시의 일부가 아닐까. 천장의 색은 먹색으로 농담濃淡이 적절하고, 그게 무늬처럼 보이는 부분도 있다. 그래서 페인트칠을 하지 않고 그대로 두었다. 너무 피곤할 때는 녹색 의자에 앉아 고개를 젖혀 천장을 응시한다. 구름을 바라볼 때와 비슷한 기분이 들어 마음이 편안해진다. 너무 오래 앉아 있으면 아무것도 하고 싶지 않아지기 때문에 그저 1분 정도. 3층 건물의 2층을 빌렸지만, 위층 사람들의 발소리는 들리지 않는다.

처음에 가게를 차린 곳은 2층짜리 나가야였다. 카페 쪽은 가운데 부분이 트였고 좌우에 하나씩 천장이 낮은 작은 방이 있었다. 카운터 위쪽의 방은 사람이 걸으면 삐걱삐걱 소리가 나곤 했다.

한쪽은 창고로 쓸 생각이어서 아무것도 하지 않았지만, 다른 방 하나는 바닥에 타일카펫을 붙이고 벽을 하얗게 칠했다. 다락방 같은 곳인데 아치형 천장이라 방의 가장자리를 걸으면 머리를 부딪칠 때가 있었다. 한번은 술에 취해서 올라갔다가 머리를 부딪쳤는데, 세게 부딪쳐 바닥에 나동그라진 적이 있다. 아래층에서 괜찮냐고 물어봤으니 부딪치는 소리가 아래까지 울린 것 같다.

2층으로 올라가는 계단은 경사가 꽤 급해서 조심하라고 주의를 주곤 했다. 걱정스러운 나머지 미끄럼방지 패드까지 붙였지만, 결국 계단에서 떨어진 건 나밖에 없었다.

서점을 시작한 지 얼마 안 되었을 때 영화 모임이라고 해서, 그 방에서 손님 대여섯 명과 영화를 보면서 술을 마신 적이 있다. 모임이 시작된 건 〈어둠 속의 댄서〉(라스 폰 트리에, 2000)를 봤기 때문이다. 〈어둠 속의 댄서〉를 본 날, 손님 몇몇과 영화관에서 한 패가 되었다. 그대로 술자리가 이어져 영화 이야기로 후끈 달아올랐다.

이야기는 끝없이 이어졌다. 핸디 카메라를 사용한 영상에 대해서. 등장인물의 감정선에 대해서. 비요크의 근사함에 대해서. 라스트 신에 대해서. 이렇게 하나의 영화로 이야기꽃이 피니까, 각자 좋아하는 영화를 번갈아 가져와서 다 함께 감상하면서 술을 마시기로 했다. 어느 쪽이냐고 하면, 술을 마시기 위한 핑계였음에 틀림없다. 손님들이 돈을 걷어서 텔레비전을 사고, 집에서 고타쓰를 가져와서 준비가 끝났다. 한 달에 한 번인가 번갈아가며 보여주고 싶은 영화를 누군가 한 사람이 가져온다. 안주는 서점에 있는 것을 먹거나, 각자 가져오거나. 천장이 낮은 방에서 다 함께 고타쓰를 둘러싼 채 텔레비전의 화면을 보고 있으면, 거실에 있는 것 같았다. 결국 술을 마시며 와글와글 떠들어 영화에는 집중하지 못했지만.

어떤 영화를 봤는지는 잘 기억나지 않지만, 저마다 가져온 영화에의 애착을 열심히 이야기했던 것은 기억한다.

갤러리를 할 생각은 전혀 없었다. 예전에 카페의 벽에 작은 전시를 한 번 했지만, 그러고 끝낼 작정이었다. 하지만 내친걸음에 하게 되었다.

2층의 작은 방에서 그림 전시를 할 수 없을까, 단골손님이 물었다. 벨기에에 체류 중인 아지사카 코우지라는 화가 친구가 매년 여름마다 귀국하는데 그 시기에 전시할 장소를 찾고 있다고 했다. 2층은 에어컨 바람이 닿지 않아 더울지도 모른다고 전해달라 했더니 비용을 댈 테니 창문형 에어컨을 달면 어떠냐고 화가 본인으로부터 연락이 왔다.

고타쓰와 텔레비전을 없애고 창문형 에어컨을 설치하게 되었다.

그의 그림은 인쇄매체에서 자주 봤다. 그러나 원화의 존재감에는 압도당했다. 좁은 방에 북적거리는 것처럼 인물화를 전시했는데, 방이 아니라 그들이 존재하는 어딘가 다른 세상이 되었다. 전시 기간 중 몇 번이나 그곳에 들어갔다.

방 가운데에 앉으면—천장이 낮기 때문에 신발을 벗고 들어가야 한다—그들을 응시하는 게 아니라, 그들에게 응시당하는 것 같은 기분이 든다. 한 명 한 명 어떤 인물일까 생각하고 있었던 것 같은데, 쏘아보는 듯한 시선에 너는 누구냐는 질문을 받고 있는 것 같았다. 낯선 거리를 걷고 있는 듯한 불안과 자기 자신이 무엇을 느끼고 있는지 모르는 마음의 동요가 엄습했다.

이렇게 작고 보잘것없는 방이라도 쓰는 사람에 따라 공간의 분위기가 달라진다. 그 방은 갤러리라고 불리게 됐다.

아지사카 씨는 몇 년이 지나 일본에 돌아온 뒤에도 몇 번이고 개인전을 해주었다. 전시를 할 때는 아이들도 함께 온다. 처음에는 어렸던 그들이 매년 무럭무럭 성장해 부모로부터 멀어지는 모습을 지켜봤다. 1년에 한 번밖에 만나지 못하니까 변화는 크게 느껴진다. 좀처럼 만나지 못하는 친척 아줌마 같은 존재다. 뭔가 해줄 수 있는 것도 아닌데 많이 컸네, 라고 감탄하며 혼자 기뻐한다.

서점 쪽의 2층에도 다락방 같은 작은 방이 있는데, 아지사카 씨와 아이들이 머문 적이 있다. 세 명이 내 천(川)자가 되어 잤을 것이다. 키가 훌쩍 자란 아이들은, 아버지 없이 와서 자고 간 적도 있다. 혼자 자전거 여행으로. 남자친구와 여행으로. 그때마다 오오~ 어른이 되고 있네, 하며 기뻐했다.

아지사카 씨네만이 아니다. 그 방에는 여러 사람이 묵었다. 사진가, 시인, 노래하는 사람……. 욕조도 침대도 아무것도 없지만, 낮에도 어두침침한 그 방은 묘하게 편안한 장소였다. 대부분의 사람들이 취해서 자는 곳이라, 욕조가 없는 것도 침구가 적당한 것도 개의치 않는다. 애당초 신경 쓰는 사람은 묵지 않는다.

그 방에 제일 많이 묵은 사람은 매년 봄과 가을에 양복전시를 하는 디자이너 오쓰루 겐고 군이다. 아지사카 씨가 소개했다. 틀림없이 마음에 들 거라고 해서, 외출을 싫어하는데도, 희한하게 후쿠오카까지 양복을 보러 갔었다. 그로부터 오랜 교류가 시작됐다.

겐고 군은 전시 기간 중의 주말은 언제나 서점의 2층에 묵었다. 여름과 겨울은 너무 덥거나 너무 춥지만, 그는 계절이 바뀔 즈음에 전시를 하기 때문에 그 방에서 지내기 딱 좋았다. 한 번 전시할 때 네댓 번 묵는다. 열 번 이상 전시를 했으니 꽤 묵었을 것이다.

원래 건축 공부를 한 사람이라 건물에도 일가견이 있어, 서점을 옮길 때 여러 가지 조언을 구했다. 이사 갈 곳이 결정됐을 때는 좋은 매물을 찾았다며 기뻐했지만, 분명 2층의 작은 방에 미련이 있었을 것이다. 어쩌면, 그 누구보다도 그곳에서 보낸 시간이 길었던 사람일지도 모른다.

마지막으로 묵었을 때, 건물의 안과 밖을 빙빙 돌며 사진을 찍었다. 아쉬워하는 듯한 그 모습이, 작은 방을 생각하니 떠오른다. 애착을 갖고 있었겠지.

갤러리에서의 마지막 전시는, 직원이었던 치바 짱의 액세서리였다. 치바 짱은 매번 그 방을 화초로 장식하고 향기로 가득 채웠다. 천장에서 꽃과 줄기 식물을 드리워 아치를 만든 적도 있다. 거기에 작업용 탁자를 놓고 액세서리를 만들면서 전시를 했기 때문에 손님들은 마치 그녀의 방에 놀러간 것 같은 느낌이었을 것이다.

신발을 벗고 그 방에 들어간다. 치바 짱이 상냥한 미소로 맞이하면, 모두 자기도 모르게 그만 오랫동안 머물게 된다. 그녀의 드높은 웃음소리가, 2층에서 언제나 터져 나왔다. 전시를 철거할 때가 되면 매번 쓸쓸해 하며 오늘로 내 방도 없어진다고 축 처져 있었다. 그래서 마지막 전시 때는 여느 때보다도 쓸쓸해 보였다. 여기가 정말 좋았다고 눈물을 글썽인다. 전시 중에 갤러리에서 일어난 여러 가지 일을 떠올리고 있었을지도 모른다. 울보인 치바 짱은 지금도 사진을 보는 것만으로도 울어버릴 때가 있는 듯하다.

새로 이사한 곳에서의 첫 전시는, 겐고 군이었다. 거기에는 선물 받은 나무벽돌이 바닥에 깔려 있다. 그의 소개로 받게 된 나무벽돌이다. 기름 냄새가 배어 있다. 새로운 방에도 모두 익숙해졌을 무렵, 기름 냄새는 거의 사라졌다.

콩콩콩

귓가에 콩콩콩, 인간보다 빠른 심장 뛰는 소리가 희미하게 들리면, 약간 서글퍼진다. 가끔 서점에 데려가는 하얀 고양이는 언제나 얼굴 옆에 바싹 달라붙어 잔다. 두 명이 자고 있을 때는, 반드시 한가운데로 들어와 어느 한쪽에 기댄다. 처음에는 갸르릉 갸르릉 하고 목을 울리는 소리가 들리지만, 잠들면 조용해져 귓가에 작은 심장 박동 소리가 들린다. 콩콩콩. 인간보다 심장 박동 소리가 빠르다는 것은, 그만큼 나보다 빨리 떠나버린다는 것이다.

하얀 고양이의 이름은 시라다마白玉다. 눈곱으로 눈이 감겨 보이지 않고, 차도 가장자리에서 금방이라도 차에 치일 것 같은 상황에서 구조되었다. 처음 만났을 때, 작고 말랑하고 눈부시게 하얘서 시라다마 당고 같았기에 그렇게 이름을 붙였다. 지금은 당고보다는 다이후쿠나 가가미모치처럼 자랐다. 시라다마라고 부르기 어려워서 시이 군이라고 부르고 있지만, 전 직원이었던 유타는 사장이라고 부른다. 어느새 10년 이상 지나서 단골손님과는 완전히 낯이 익었지만, 사실 시라다마는 우리 집으로 올 게 아니었다.

어느 날, 지인이 낮 동안이라도 좋으니까 고양이를 맡아달라고 부탁했다. 입양할 사람을 찾는 것 같았다. 성묘는 아니지만, 생후 6개월 정도로 새끼 고양이라고 하기에는 조금 크다. 꽤 지친 상태라 건강해지면 입양할 사람을 찾으려 했으나 너무 커져서 생각보다 입양할 사람을 찾기가 어렵다고 했다. 이렇게 귀여운데, 크면 안 되는 걸까? 확실히 작고 가냘프게 보이는 쪽이 새 주인을 찾기 쉽다.

데리고 있으니, 미묘인 것뿐 아니라 사람을 잘 따르고 영리한 게 성격이 무척 좋은 고양이였다. 이 고양이가 훗날의 시라다마로, 이런 이야기를 하면 마치 자식 자랑을 하는 부모 같지만, 지금까지 함께 살았거나 알고 지낸 고양이와 비교해도 이렇게 다정한 고양이는 좀처럼 없었다. 설령 아이가 꼬리를 잡아당겨도 화내지 않는다.

며칠이 지나 데려가겠다는 사람이 나타났다고 구조한 사람이 소식을 전했다. 기쁜 일인데 왠지 약간 떨떠름한 얼굴이었다. 다시 얼마간 지나 사정이 있어 없던 일이 되는 바람에 계속해서 입양할 사람을 찾게 되었다는 연락이 왔다. 상관없지만, 임시보호 기간이 길어지면 정이 들어 헤어지기 어렵다. 게다가 고양이가 완전히 서점에 적응했다. 손님 중에는 우리 고양이라고 믿는 사람도 있는 듯했다. 기르지 않겠느냐고 물어봐도, 여기에 적응했으니까 마스코트라고 해도 괜찮지 않느냐는 등의 소리를 듣곤 했다. 빨리 결정하지 않으면 본격적으로 정이 들 것 같아 애가 탔다. 그러고 있는 사이에, 이미 기르고 있는 고양이가 있어서 사이가 괜찮을지 걱정이지만 입양해도 괜찮다고 말하는 사람이 나타났다. 시험 삼아 집에 데려가니 이미 기르고 있던 고양이와도 사이가 나쁘지 않은 듯했다. 바로 새 보호자를 찾았다고 연락했는데, 왜 그런지 다시 부탁이 있으니 서점으로 오겠다고 말한다.

그녀는 많은 개와 고양이를 보호해온 사람이다. 보호하거나 입양할 사람을 찾거나 하는 일은, 그녀에게 그렇게 특별한 일상은 아니다. 그래서 왜 이번만큼은 새 보호자를 결정하지 못하고 있는지 의아했다. 부탁은, 내가 새 보호자가 되어 달라는 것이었다.

가만히 이야기를 들어보니 이런 사정이었다.

저에게 이 고양이는 특별해요. 오랫동안 함께 있어서 정이 든 건 물론이거니와, 이렇게 성격이 좋은 고양이는 처음인데, 보호하고 있는 다른 개나 고양이에게도 순해요. 하지만 저는 병이 낫지 않거나 장애가 있는 경우에만 기르기로 결정했어요. 그런 개나 고양이는 입양할 사람이 별로 없어서 그들을 위해서 가급적 자리를 비워두고 싶으니 누구나 데려갈 만한 건강하고 귀여운 고양이는 입양시키지 않으면 안 돼요. 하지만 이 고양이만큼은 차마 모르는 사람에게 보낼 수 없는 지경이 되었으니 입양해주지 않을래요?

지금까지 많은 개와 고양이를 보호했지만, 이런 말을 하는 건 처음이라고 열심히 설명했다. 그렇게 생각이 굳건하다면 그대로 집에 두는 게 어떠냐고 했지만, 아무리 생각해봐도 안 된다고 한다. 분명하게, 자기 옆에 있는 것보다

행복할 거라고 생각한다고까지 이야기해 거절하지 못했다. 거절하기에는 나 역시 정이 흠뻑 들었다. 결국, 시라다마는 정식으로 우리 고양이가 되었다.

처음에는 서점에 데리고 올 생각이 없었다. 원래 고양이는 영역에서 벗어나지 않는 게 보통이라서 시라다마 역시 데리고 갈 거라고 생각하지 않았을 것이다. 그런데 손님과 친해지는 바람에 종종 오늘은 없냐고 물어본다. 이미 세상을 떠난, 기르던 고양이와 똑같이 생겼다고 말씀하신 손님도 있다. 만나지 못해 실망하는 손님의 얼굴을 차마 볼 수 없어서 서점에 데려오게 됐다. 시라다마도 차로 이동하는 건 좋아하진 않지만, 서점도 자기 영역이라고 생각하는지 도착하면 의외로 편안하게 있다. 점점 얼굴이 귀여워지는구나, 귀여워하면 얼굴이 변한단다, 이웃 분이 말씀하셨다. 붙임성 없는 주인을 대신해 애교를 부리고 있다.

그렇다 해도 고양이라서 어린아이를 좋아하지는 않는다. 갑자기 큰소리를 내거나 뒤쫓아 오기 때문이다. 귀여워~라고 연호하는 여자들도 질색이라 오히려 아저씨 쪽을 좋아한다. 소란스러울 때는 2층에 틀어박혀 자고 있다.

고양이는 자주 자는 동물이다. 자주 자기 때문에 네코(고양이를 뜻하는 네코猫와 자는 아이란 뜻의 네코寝子는 동음이의어다—옮긴이)라는 설도 있을 정도다. 야행성이라서 낮에는 잠만 잔다는 이야기지만, 시라다마는 밤에도 사람과 같이 잔다. 지금은 낮이고 정기 휴일이라 집에서 원고를 쓰고 있는데, 시라다마는 자거나 일어나거나 방해하거나 한다. 자고 있어도 거기 있는 것만으로 옆에 있는 사람의 기분을 편안하게 한다. 자고 있는 것만으로 누군가에게 힘이 된다. 적어도 나에게. 멋진 일이다. 내가 저기서 뒹군다 한들 그 누구에게도 도움이 되지 않을 것이다.

어느 날, 계산을 하는데 오늘은 고양이가 있냐고 물어보는 손님이 있었다. 서점 쪽에서 자고 있다고 하니 이렇게 말씀하셨다.

개인적인 일로 대단히 죄송하지만, 개와 고양이를 기르고 있는데 며칠 전에 개가 죽어서 밥이 넘어가지 않는 상태였습니다. 하지만 오늘 여기 오니 마음이 안정되어 먹을 수 있었습니다. 감사합니다.

말하는 중간, 눈가에 눈물이 어렸다. 몇 살이었냐고 물으니 열다섯 살 정도였다고 했다. 어떤 위로의 말도 떠오르지 않아, 괜찮으시다면 시라다마를 보고 가달라고 하며 고양이에게 공을 넘겼다.

서점을 이전하면서 시라다마가 숨어 있을 장소가 없어지는 바람에, 손님들에게는 미안하지만, 가끔 데려올 수밖에 없었다. 틀어박혀 있을 장소가 없으면 잘 자지 않기 때문이다. 사람은 조금도 무서워하지 않지만 사람이 드나드는 데는 민감해 바로 깨버린다. 이제 꽤 나이도 들었고 잠이 부족하면 건강을 해치고 말 것이다. 그래서 보통은 집에서 유유자적하게 있지만, 가끔 서점에 나오면 활기차게 손님을 맞이한다.

고양이는 사람만큼 겉으로 나이가 드러나지 않는다. 시라다마는 어릴 때부터 순한 고양이였기 때문에 할아버지 고양이냐는 질문을 자주 받았다. 서점에 데려가지 않자 죽었는지도 모른다고 생각했는지 잘 있냐고 주뼛주뼛 물어보는 사람도 있다. 아직 건강하지만, 확실히 나이는 들었다. 이빨이 조금씩 빠지고 있고 근력도 약해지고 있는 듯하다. 기분 탓인지 모르겠지만 털도 조금 푸석푸석해졌다. 하지만 나이에 대한 건 나도 모르게 잊어버리고 만다. 언제나 응석을 부리고, 손님들도 귀여워하며 내내 칭찬하기 때문에 할아버지 고양이가 됐어도 어리광쟁이다. 자기를 봐주길 바랄 때는 등에 매달리고, 아직도 장난감 낚싯대로 재롱을 부린다. 그다지 변하지 않을 것 같아서 언제까지나 곁에 있어줄 것 같은 기분이 든다. 그러나 그건 기분 탓이라는 것 또한 알고 있다.

같이 잘 때 심장 뛰는 소리가 들리면, 언젠가 다가올 이별을 조금은 각오한다. 콩콩콩. 나랑 같이 살아서 좋았냐고 물어봐도 소용없는 것을 생각한다. 되도록 오래 이 심장박동 소리를 들을 수 있기를 바라면서, 나도 시라다마의 쌕쌕거리는 숨소리에 이끌려 눈 깜짝할 사이에 잠이 든다.

콩콩콩.

비밀의 밤

꿈에 무라카미 하루키 씨와 요시모토 유미(구마모토 출신 작가. 하루키의 에세이집 『비밀의 숲』(문학사상, 2007)에 "이웃에 사는 매니악한 야쿠르트 팬"이라고 소개된 적이 있다—옮긴이) 씨가 나왔다.

몇몇이 식사를 하고 있었는데, 도중에 요시모토 씨가 어디론가 가고 무라카미 씨로부터 요시모토 씨는 요즘 잘 지냅니까, 라는 질문을 받는 꿈이다. 똑똑히 기억하고 있지는 않지만, 그중 한 사람은 쓰즈키 교이치(프리랜서 편집자이자 사진가. 『권외편집자』(컴인, 2017)를 비롯한 여러 책을 냈다—

옮긴이) 씨였을지도 모르겠다. 무라카미 씨와 쓰즈키 씨가 서점에 왔을 때, 요시모토 씨를 잘 부탁한다고 했기에 틀림없다. 세 사람이 친하게 지내는 건, 함께 쓴 책 『도쿄 스루메 클럽 지구를 방랑하는 방법東京するめクラブ地球のはぐれ方』이 있어서다.

무라카미 씨가 서점에 왜 왔었죠, 라고 지금도 가끔 질문을 받는다. 무라카미 씨가 고양이 시라다마를 언젠가 한 번 만나고 싶다고 했기 때문이라고 답한다. 하지만 시라다마를 보는 건 그다음이고, 구마모토로 돌아온 요시모토 씨를 만나러 온 게 여행의 진짜 목적이었다.

"하루키 씨가 시라다마를 만나고 싶다고 하니까, 언젠가 놀러올 거야"라고 요시모토 씨로부터 이전에 들은 적이 있다. 정말 오실지도 모르겠지만, 요시모토 씨와 시간을 보내는 김에 잠깐 들리는 정도라고 생각하고 있었다. 그런데 어느 날 "하루키 씨가 이번 주에 오게 됐는데, 다이다이 서점에서 낭독회를 해볼까라고 하는데 어떡할래?"라고 요시모토 씨가 말했다. 무라카미 하루키라니 다소 혼란스러워 "30명 정도밖에 들일 수 없는데, 도대체 어떻게 사람을 모으죠? 그냥 공지하면 전화기에 불이 날 텐데"라고 엉겁결에 말하고 말았다. 최근에는 무라카미 씨의 이벤트가 조금 늘어난 것 같지만, 그즈음에는 서점에서의 낭독회는 20년 만이라고 했다. 전화기에 불이 나기는커녕 언론에 알려지면 취재도 쇄도할 것이다.

서점에는 다양한 사람이 온다. 맞이하는 내가 왜 오는 걸까, 라고 생각할 만한 사람도 온다. 게으름뱅이이고, 매일 문을 여는 게 제일 중요하다고 생각해 행사 기획 등을 직접 생각해본 적은 거의 없다. 하지만 이벤트를 하러 오겠다는 말을 들으면 좀처럼 거절할 수 없다. 고맙기도 하고, 손님들도 좋아한다. 그래서 스케줄이 허락하는 한 이벤트를 하다 보면 별별 사람이 온다. 굉장하네, 라며 능력 있는 마담 같은 말을 들을 때도 있다.

어떻게 생각해도 상관없지만, 나는 그림을 그리는 사람도, 노래하는 사람도, 시인도, 소설가도 그밖의 손님이 오는 것도 똑같이 기쁘다. 그러니까 손님이 그 그림을 보고 싶다거나 노래를 듣고 싶다고 생각한다면, 될 수 있는 한 내가 할 수 있는 범위 내에서 해본다. 못하는 건 하지 않지만.

그래서 무라카미 씨의 낭독회는 할 수 있을까, 라고 생각했다. 생각 끝에, 공평한 방법은 아니지만, 단골손님 한 명

한 명에게 참석 여부를 물어보는 것 외에 달리 방법이 없을 것 같았다. 무라카미 씨의 애독자를 헤아려 보니 30명은 너무 적다. 연락을 받지 못한 사람들이 낭독회가 있었다는 것을 알고 나면 실망할 것이다. 어쩌면 화를 낼지도 모른다. 그러나 낙담하는 사람이 있다고 해도, 한편으로는 틀림없이 기뻐하는 사람이 있다.

이 여행은 잡지의 기획이기도 해서 담당 편집자인 다케다 씨를 포함해 요시모토 씨와 비밀리에 의논했다. 그렇다고 해도, 내가 준비할 것은 그다지 없었다. 사람을 모으는 것과 판매용 책을 준비하는 정도다. 사람은 간단히 모을 수 있지만, 문제는 누굴 부르느냐는 것이다. 요시모토 씨는 모객은 전적으로 나한테 맡긴다고 했다. 생각 끝에 서점에 온 사람에게 그때그때 물어보기로 했다. 무라카미 씨의 열렬한 팬 외에는 일부러 연락을 하지 않기로 했다.

단골손님이 오면, 이 사람은 어떤 책을 좋아했더라 하고 곰곰이 생각해 무라카미 씨의 책을 좋아할 것 같다는 생각이 들면 "○일에 약속 있으세요?" 하고 물어봤다. "누가 옵니까?"라고 되물어 "무라카미 하루키"라고 답하면, 다들 대개 아무 말도 못하고 굳어버렸다. 아니면, 지금 뭐라는 거야 싶은 얼굴을 했다. 그런 모습이 꽤 재미있었다. 참석하기로 결정한 순간부터 긴장하기 시작한 사람도 있었다.

무라카미 씨 작품의 애독자는 전 세계에 있고, 연구자도 전 세계에 있어서 그들이 이 낭독회에 참석하는 게 더 낫다고 생각하는 사람이 있을지도 모른다. 실제로 "꼭 가고 싶지만 저 같은 게 가도 될까요? 그 자리에 더 알맞은 사람이 있는 건 아닐지"라고 겸허하게 말하는 사람도 있었다. 하지만 그 알맞은 사람이 누구인지 나는 모르고, 다이다이 서점에서 하는 거니까 평소 여기에 모이던 사람이 참석하는 게 당연하다는 생각이 들었다.

낭독회에 올 수 있는지 물어본 사람들에게는 낭독회가 끝날 때까지는 다른 사람에게 말하지 말아달라고 부탁했다. 일찌감치 초대받은 사람은, 카운터 바에 다른 단골손님과 나란히 앉을 때, 이 사람은 초대받았을까 하고 몹시 괴로워했을 것이다. 약속을 어기는 사람이 있기는커녕 "같이 사는 사람한테도 비밀로 했어요. 고양이만 알고 있어요"라고 말한 사람도 있었다. 사실은 손님 중에 언론 관계자도 많았고 참석하는 사람 가운데 몇 명 있었지만, 모두 사적인 일로 해주었다.

낭독회 전날 〈도쿄 스루메 클럽〉의 멤버들과 다케다 씨가 왔다. 이번 구마모토 여행은 〈도쿄 스루메 클럽〉의 동창회로 요시모토 씨가 가이드, 쓰즈키 씨가 촬영 담당이다. 시라다마도 물론 대기하고 있었지만, 고양이에게는 세계적인 '무라카미 하루키' 역시 한낱 아저씨에 불과해 무라카미 씨의 스니커즈에 발톱을 북북 긁는 등 애교를 부렸다. 쓰즈키 씨는 서점이 있는(아직 이사하기 전의 일이다) 오래된 골목이 수상한 게 마음에 드는 모양이었다. 차를 마시며 한 '스루메 토크'는 옆에서 듣고 있는 것만으로도 즐거웠다. 몇 명인가 손님이 들어왔지만, 아무도 무라카미 씨와 쓰즈키 씨를 알아보지 못했다. 설마 여기에 있을 거라고는 생각지도 않으니까 눈치 채지 못하는 것이다.

낭독회 당일은 무슨 일인지 다케다 씨가 무척 긴장한 모습이었다. 분명히 여행 내내 무라카미 씨가 구마모토에 있는 게 들키지는 않을까 전전긍긍했을 것이다. 그렇지만 다케다 씨는 술이 들어가면 완전히 긴장이 풀렸다.

다케다 씨보다 한층 더 긴장한 게 손님들이다. 단골손님을 초대해서 서로 아는 얼굴들이 많았지만, 모두 평소보다 말수가 적었다. 그리고 안절부절 어쩔 줄 몰랐다. 계단까지 사람이 앉아 있는데, 맨 앞의 의자는 텅 비었다. 아무나 자리 좀 채워달라고 해도, 긴장되니까 못 앉겠다고 거절한다. 결국 제일 앞자리는 비운 채로 두었다.

무라카미 씨가 뭘 읽을까 싶었는데 「야쿠르트 스왈로스 시집」이란 단편소설이었다. 전문을 제대로 사람들 앞에 공개하는 건 이날이 처음이라고 했다. 요시모토 씨도 무라카미 씨와 같이 야쿠르트 스왈로스의 팬이라서 이 소설을 골랐을 것이다. 이 낭독회는 분명히 요시모토 씨를 향한 자그마한 선물이기도 했음에 틀림없다. 이사하기 전이라 커다란 유리창이 입구 쪽에 있어서 안이 훤히 들여다보였다. 들키지 않을까 다케다 씨가 걱정했지만, 걸음을 멈추는 사람은 없었다.

무라카미 씨가 낭독을 시작하자, 굳어 있던 손님들은 조금씩 긴장이 풀어져 마지막에는 완전히 이야기에 빠져들고 있었다. 다른 행사를 할 때도 늘 생각하지만, 30명 정도만 듣는다는 건 황송한 기분이 들 정도로 사치스러운 체험이다. 좁은 공간이라서 만들어지는 분위기라는 게 있다. 서점 안이, 세상과 차단된 것처럼 느껴진다.

낭독이 끝난 후에는 쓰즈키 씨와 요시모토 씨도 합세해 스루메 토크가 열렸다. 무라카미 씨와 쓰즈키 씨가, 요시모토 씨는 취하면 말이 거칠어져 재밌다고 해서 요시모토 씨에게만 와인을 준비했다. 쓰즈키 씨의 경쾌하고 묘한 토크와 두 사람을 꾸짖는 요시모토 씨와의 주거니 받거니 하는 토크로 분위기는 달아올라, 손님들은 완전히 긴장이 풀렸다.

즐거웠던 밤은 깊어가고, 모두 여우에게 홀린 듯한 기분으로 집에 갔을 것이다.

거리의 풍경

5시였는지 6시였는지 잊어버렸지만, 아무튼 집합 시간은 이른 아침이었다. 보통 그 시간에 자고 있는 일은 있어도 일어나는 일은 거의 없다. 그날 오전은 대부분 시라다마와 서점 2층에 있었다. 아래층에서는 "좋아, 컷"이라는 소리가 울려 퍼지고 있었다. 서점에서 영화 촬영을 하고 있었기 때문이다.

영화감독 유키사다 이사오(〈GO〉(2001), 〈세상의 중심에서 사랑을 외치다〉(2004), 〈나라타주〉(2018) 등을 연출했다—옮긴이) 씨는 가끔 차를 마시러 왔는데, 서점을 열자 언젠가 여기서 영화를 찍고 싶다고 했다. 이사하기 전에는 두 개의 점포를 빌려 한쪽은 카페, 다른 한쪽은 서점이었다. 그 사이의 벽에 사람 한 명 정도 지나갈 수 있는 구멍을 냈었는데, "등장인물은 여기서 아르바이트를 하고 있고, 거기서 얼굴이 엿보이고 말이야……"라고 바로 영화의 한 장면을 술술 묘사했다. 서점 2층에서 지붕으로 나갈 수 있는 것도 마음에 들었던 것 같았다. 언젠가 찍을 거니까 다른 사람이 먼저 찍게 하지 말라고 농담조로 말하길래 아무도 하지 않을 걸요, 라고 나 역시 웃으며 답했다.

그로부터 몇 년 후, 뜻밖에도 그 약속이 이루어졌다. 유키사다 씨가 구마모토를 무대로 단편영화를 찍게 되어, 구마모토 곳곳에서 촬영하게 된 것이다. 구마모토성과 기쿠치 계곡, 하야카와 창고에 다이다이 서점……. 모두 잘 아는 곳들. 왜 시라다마를 데리고 가게 되었냐면, 시라다마가 서점 안을 돌아다니는 장면을 찍고 싶다고 했기 때문이다. 촬영 기자재에 겁을 먹을 것 같고, 사람이 많은 걸 싫어해서 어렵겠다고 했지만 촬영하는 동안 다른 스태프는 한 명도 빠짐없이 밖으로 내보낼 거라고 했다. 마치 정사신 촬영 같다. 유키사다 씨는 고양이를 좋아하니까, 그렇다면 괜찮을지도 몰라. 그래서 다른 촬영이 끝날 때까지 시라다마와 2층에 틀어박혀 있게 됐다.

스태프가 다 모이니 예상을 뛰어넘는 인원이었다. 일찍 일어났으니까 늘어지게 자고 있으면 된다고 생각했는데, 안이한 생각이었다. 안 보인다고는 하지만, 심상치 않은 기척에 시라다마는 야옹야옹 울부짖었다. 놀아주거나 쓰다듬어 비위를 맞춰주니 그럭저럭 잠잠해졌다. 하지만 잘 수 없다면 일을 하자 싶어 일을 시작하면, 또다시 시끄럽게 굴었다. 아래층에서 카메라가 돌아가면, 일부러 그런 것처럼 야옹 하고 울어버려서 당황스러운 마음에 기분을 맞춰줄 수밖에 없다. 게다가 이웃 상점의 영업시간이 가까워져 무슨 일인가 하고 소란스러워지기 시작했으니 사정을 설명하고 양해를 구하러 다니기도 해야 했다.

사실은 그날 조카의 결혼식이 있었다. 촬영을 미뤄달라고 부탁했지만 촬영 스케줄이 빡빡해 무슨 수를 써도 늦출 수 없었다. 게다가 밤에는 서점에서 라이브가 있었다. 조카의 결혼식이 그즈음이라고 들었는데도, 날짜를 잘 헤아리지 않고 무심코 정해버리고 말았다. 밤이니까 괜찮을 거라고 생각했는데, 설마 했던 영화 촬영까지 넣어버렸다. 트리

플 부킹이라며 웃었지만, 사실은 웃을 일이 아니었다.

시라다마를 집에 두고 오는 게 좋지 않았을까. 라이브나 촬영을 거절하는 게 좋지 않았을까. 조카의 결혼식이 있는 날만큼은 서점 문을 닫고 싶었는데. 그런데 졸리네. 이것저것 후회하며 2층에서 시라다마를 쓰다듬고 있었다. 결혼식 시작 30분 전쯤에 서점 직원에게 시라다마를 맡기고 결혼식장으로 갈 준비를 했다. 2층에서 친구에게 빌린 원피스로 갈아입었는데, 익숙지 않은 스타킹도 신어야 했다. 오랜만에 신어 보네 하며 발을 넣었지만 좀처럼 끌어올리는 게 되지 않는다. 뭐야 이거 하고 포장을 잘 보니 압박 스타킹을 샀다. 게다가 서두른 나머지 뒤집어진 것도 모른 채 신어버렸다. 결혼식이 열리는 호텔까지 10분 거리라 여유가 있다고 생각했는데, 아슬아슬해져서 익숙지 않은 하이힐로 달리는 처지가 됐다. 뒤집어 신은 스타킹은 찜찜해서 호텔에서 다시 신었다.

결혼식장에서도 일을 저질렀다. 촬영이 끝나면 일단 차로 시라다마를 집에 데리고 가자고 생각했었는데, 술을 마시고 말았다. 결혼식 자체에 그다지 흥미가 없어 예의상 참석할 작정이었는데, 뜻밖에도 감회가 깊었다. 조카가 신부와 나란히 입장했을 때, 언제 이렇게 컸나 싶어 희한하게 이모다운 기분이 들었다. 눈물마저 글썽일 정도였다. 내가 고등학교 3학년 때 태어난 조카다. 언니 대신 한밤중에 일어나 분유를 먹인 적도 있다. 완전히 축하하는 기분이 되어 건배사에 아무 생각 없이 맥주를 벌컥 마셨다. 아차 하며 정신을 차렸을 때는 이미 엎질러진 물이어서 에라 모르겠다, 하는 마음으로 계속 마셨다.

결혼식이 끝나 친척들에게 먼저 간다고 양해를 구하고 서점으로 돌아가니, 간신히 촬영이 끝난 참이었다. 원래는 오전 중에 끝낼 예정이었지만, 시간이 꽤 밀려서 시라다마의 촬영은 할 수 없었던 것 같다. 시라다마에게 미안하다고 사과하고, 그런데 아직 집에 갈 수 없어, 라고 한번 더 사과하고 이번에는 라이브 준비를 했다.

그날의 라이브는 보사노바였기 때문에 굉장히 기분이 좋았던 것 같다. 하지만 실은 거의 기억나지 않는다. 아침 일찍 일어났고, 하루 종일 애를 써서 녹초가 된 몸에 보사노바는 더할 나위 없었다. 속삭이는 듯한 감미로운 노랫소리가 계속 꿈속에서 들리는 듯한 기분이었다. 그렇게 생각하면, 내가 제일 기분 좋게 있었다고도 할 수 있다.

뒤풀이가 끝나고 드디어 집에 돌아와서 이불 속에 들어간 건, 집을 나온 지 24시간 가까이 지났을 즈음이었다. 시라다마는 지칠 대로 지친 듯해 다음 날 아침은 곤히 잤지만, 나는 평소처럼 일했다.

영화는 2016년 3월에 기쿠치 영화제에서 공개됐는데, 그다음 달에 구마모토 지진이 일어나 무료 상영을 하게 되었다. 촬영했을 때는 유키사다 씨도, 스태프도, 출연자도 지진이 일어날 거라고 알 턱이 없었다.

영화 제목은 〈아름다운 사람〉. 영화 속에는 지진으로 무너지기 전의 구마모토성 돌담이 나온다. 파괴되기 전의 쓰준교通潤橋도 찍혀 있다. 그리고 지진이 일어나기 전 서점의 모습도 있다. 벽은 금 가지 않았고, 천장도 무너지지 않았다. 오래된 건물로 원래 상한 부분도 많았지만, 영화 속에서는 조명 덕분에 잘 보이지 않았다. 잘 알고 있는 것 같았던 그곳은 뜻밖에도 아름다웠다.

그로부터 반 년 정도 지나 서점을 이전하게 됐다. 여름 무렵 새 자리의 공사를 시작했는데, 공사 중에 유키사다 씨가 들렀다. 다시 한번 구마모토의 거리를 찍기 위해 로케이션 헌팅을 하고 있다고 했다. 〈아름다운 사람〉의 속편을 만드는 것이니, 새 다이다이 서점에서도 촬영하고 싶다고 했다. 촬영일자를 물어보니, 마침 공사를 마무리하기로 예정한 날 즈음이었다. 지진이 일어난 후, 공사업체와 기술자들은 휴일도 반납한 채 일하는 사람 천지였다. 어쩌면 촬영에 맞추지 못할 수도 있으니 서점 장면은 넣지 않는 편이 좋지 않겠느냐고 했지만, 지진 그 후를 찍고 싶다고 했다.

지진이 있어도, 다른 재해가 있어도 사람은 죽지 않는 한 일상을 이어간다. 될 수 있는 한 보통의 나날을 이어가려고 한다. 그런 사람들의 모습을 남기고 싶다고 생각한 걸까. 촬영 후에 지진이 일어난 것도, 이사한 직후에 다시 촬영이 진행된 것도 어떤 인연이란 생각이 들어 촬영을 허락했다.

그날은 어둑어둑해진 후부터 촬영이 시작됐다. 대기하는 장소가 좁아서 야외에 있는 스태프가 많았다. 가을이라고 하나, 밤이 깊으면 꽤 쌀쌀한 날이었다. 유키사다 씨는 끈질기니까 한밤중을 넘기겠지, 밖에 있는 사람들은 추울 텐데 등의 생각을 하면서 갤러리에서 일을 하며 기다렸다.

촬영 중에 히사코 씨도 받았냐고 유키사다 씨가 말을 걸었다. 뭔가 했더니, 추워 보인다며 맞은편 술집에서 따듯한 국물과 삶은 달걀을 주고 간 듯했다. 이사 온 지 며칠밖에 되지 않아서 그 술집에는 아직 인사도 하지 못했었다. 당황해서 감사 인사를 하러 가자, 뒤에서 배우인 고라 겐고 씨도 들어와서 "잘 먹었습니다!" 하고 환하게 인사를 하고 돌아갔다. 사장님은 누군지 모르는지 어리둥절하게 있어서 영화 출연자라고 설명하는데, 아르바이트를 하는 여자아이들이 나왔다. 나만 있으면 실망할 게 뻔해서, 촬영으로 어수선하게 해서 죄송하다고 말하며 도망치듯 서점으로 돌아왔다.

한밤중이 지나 무사히 촬영이 끝나고 유키사다 씨가 모두에게 선물한 케이크를 들고 집으로 돌아왔다. 내가 태어나기 전부터 만들어진, 스위스과자점의 리큐르 마롱. 녹색 은박지에 싸인 버터케이크로 생지에 리큐르 시럽이 잔뜩 스며들어 있다. 무척 좋아하는 거라 무심코 이 케이크를 고르고 말았지만, 먹으면 운전을 할 수 없다. 그래서 나중에 집에서 먹으려고 잘 챙겨 두었던 것이다. 촬영이 끝나는 걸 기다리고 있었을 뿐인데, 어쩐지 몹시 피곤해 달콤한 버터케이크가 몸에 녹아들었다.

구마모토 지진으로부터 1년 후 〈아름다운 사람, 잘 지내요?〉가 상영되었다. 영화 초반, 구마모토 지진의 진원지인 마시키마치의 길거리가 비춰졌다. 어디나 온통 잔해로 뒤덮여 있었다. 아스팔트에는 일그러진 선이 달리고 있었다. 스크린을 가득 채운 거리는 세트가 아니다. 보고 있으면, 실제로 그곳에 갔을 때의 정경이 겹쳐져 가슴이 먹먹했다. 나는 마시키마치 출신도 아니고 특별한 인연이 있다고 할 수도 없다. 하지만 지진이 일어나기 직전까지 일상이 있었던 곳이 이렇게 무너지고 말았다는 사실은 답할 수 있다. 구마모토만이 아니다. 쓰나미 피해를 당한 미야기현에서 촬영된 영화를 봐도, 공습과 전투로 대부분이 잔해가 되어버린 시리아 길거리의 다큐멘터리 영화를 봐도 그렇다.

장난감이 잔해 속에 굴러다닌다. 어느 나라의, 어떤 곳에도 어린이가 있었을 것이다. 가족 앨범은 잔해에서 구출됐을까. 소용없는 일을 생각한다.

이사한 서점도 스크린에 담겼다. 영화 속에서 아주 새로운 그 장소는, 지금은 완전히 일상이 되었다. 가끔 지진이 꽤 예전 일처럼 느껴질 때가 있다. 하지만 잊지는 않을 것이다. 영상이 남아 있는 건, 그러기 위해서이기도 하다.

하늘과 보름달

동쪽 하늘 아래에

달님이 붉게 물들었어

달 이모티콘을 덧붙여 가끔 문자가 온다. 달 친구 요시모토 씨가 보내는 것이다. 어느샌가 달이 아름다운 밤은 서로 알려주게 되었다. 나는 서점이 끝날 때까지 달을 보기가 어려운 까닭에 대개 요시모토 씨한테 문자를 받는 경우가 많다.

요시모토 씨는 구마모토가 고향이지만 쭉 도쿄에서 생

활했다. 언젠가는 낯선 지방 도시에서 살고 싶었는데 곰곰이 생각해 보니, 44년간 떠나 있던 구마모토는 잘 모르는 곳과 같아서, 라는 이유로 돌아오게 되었다고 한다. 도쿄를 떠나기 전에, 친구로부터 구마모토에 가면 오렌지에 가 보면 좋을 거라는 이야기를 들었다고 한다. 그 친구는 도쿄 자카Zakka의 대표 요시무라 히토미 씨와 배우자인 사진가 기타데 히로키 씨였다. 요시모토 씨가 구마모토로 돌아온 건 2011년 3월. 이삿짐을 싸고 있는데 지진이 났다고 한다.

내가 왜 카페만 하는 게 아니라 잡화와 책도 팔게 되었느냐 하면, 임차한 곳이 너무 넓었기 때문이다. 보통은 계획에 맞춰 매물을 찾기 마련이지만, 무모하게도 공간이 있어서 서점을 시작해버렸다. 게다가 잡화점에서도, 서점에서도 일한 적이 없다. 개업 준비를 하고 있었을 때는 지식도 선입견도 없이 되는대로 물어봤다. 그리고 자카에도 전화해 기타데 씨의 사진으로 만든 달력과 엽서를 판매하고 싶다고 요청했다.

개업 전에 한 차례지만 도쿄에 가서 몇 군데 거래처에 인사를 했는데, 그때 자카에도 갔었다. 이렇게 기분 좋게 조화로운 가게는 아무리 애써도 못할 거 같은 부러운 마음으로 가게 안을 둘러보며, 내가 하려는 일에 불안을 느꼈다. 기타데 씨가 카페와 잡화점이라는, 가장 돈벌이가 안 되는 일을 동시에 시작해도 괜찮겠느냐며 놀렸던 걸 기억하고 있다. 그 기타데 씨가 나를 칭찬하고 있다고 요시모토 씨에게 들은 적이 있다. 잠깐 만났을 뿐인데 어디가 어떻게 칭찬할 만했는지 전혀 짚이는 데가 없었다. 잡화점을 하고 싶다며 찾아오는 여느 사람들과 다르다고 했다는데, 그건 그저 내가 풋내기였기 때문이지 않을까. 그렇더라도 덕분에 나는 요시모토 씨를 만났다.

먼저 정보를 얻은 요시모토 씨는 시라다마와 만나는 걸 기대하고 있었던 듯하다. 요시모토 씨는 고양이를 정말 좋아한다. 하지만 처음 서점에 온 날, 시라다마는 없었다고 한다. 다음에 왔을 때에는 시라다마도 있었고, 나도 처음으로 인사를 나눴다. 그때 2층에서는 여기저기 떠돌아다니며 줄무늬 옷을 파는 스토어STORE의 전시를 하고 있어서 전시도 봐주셨다. 줄무늬라고 해도 옷 하나하나 전부 다른 색의 줄무늬 조합으로 만들어진 것이라 손님들은 어떤 걸로 할까 적잖이 망설인다. 요시모토 씨도 갤러리가 있는 2층에 올라가 내려오지 않아서 잠시 후 상황을 살피러 갔다. 그때 나는 아직 요시모토 씨가 누군지 알아차리지 못했다.

원피스를 보고 있길래, 의외로 이 정도의 화려한 색 조합이 어울린다고 말을 건넸다. 요시모토 씨는 너무 화려하지 않느냐고 하더니, 입어본 뒤엔 결국 그 원피스를 샀다. 그 후 카운터석에 앉아 아이스커피를 마실 때 누군지 알아차렸다. 예전에 어떤 잡지에서 얼굴을 본 적이 있다. 요시모토 유미 씨죠, 하고 물어보니 그렇다고 했다.

요시모토 씨는 지금은 주로 글을 쓰고 있지만, 도쿄에서는 오랫동안 스타일리스트로 활약했다. 인테리어 스타일리스트로는 선구자라고 말해도 좋은 사람이다. 나는 올리브 세대(1982년에 창간된 잡지 《올리브Olive》를 애독하던 십대 여성들로 '올리브 걸'이라고 불렸다—옮긴이)라서 요시모토 씨를 동경하는 사람이 주변에 많았다. 하필이면 그런 사람에게 이게 어울린다고 조언을 하다니, 깨달은 순간 식은땀이 나는 것 같았다.

물론 요시모토 씨는 그런 일로 기분이 상할 사람이 아니다. 나 혼자 의식했을 뿐이다. 그러고 나서는 종종 시라다마를 보러 오게 됐고, 나도 요시모토 씨의 고양이를 보러 가고 있다. 달이 아름다운 날은 저마다의 자리에서 같은 하늘을 바라본다. 오늘도 요시모토 씨가 먼저 문자를 보냈다.

> 오늘 밤은 달구경하기에 좋은 날씨!! 달은 물론 밤공기도 바람도 좋네요~

그리고 거나하게 취해서 함께 달을 올려다보는 밤도, 때때로 있다.

기타데 씨가 맺어준 인연은 요시모토 씨만 있는 게 아니다. 자카에 갔을 때 묘하게 끌리는 그림엽서가 있었다. 도매로 받을 수 있는지 물어보자 기타데 씨가 작가에게 직접 물어보라고 했다. 그 그림을 그린 건, 예전에 자카에서 일했던 사사키 미호 씨였다. 그 당시 나는 사사키 씨의 이름도, 자카에서 일했던 것도 전혀 몰랐다. 부러 알려주셨는데, 아무것도 모르는 상태에서 문을 연 상황이라 사사키 씨에게 엽서를 팔고 싶다고 연락하는 게 망설여졌다. 하지만 얼마간 시간이 흐른 뒤, 친구니까 소개할게요, 라고 2층 갤러리에서 전시를 한 작가가 말해주었다. 그렇게 사사키 씨와 연락이 닿아 지금은 사사키 씨의 엽서가 계산대 근처에 진열

되어 있다.

사사키 씨와는 아직 만난 적이 없다. 전화와 팩스로 거래하고 있다. 간혹 편지일 때도 있다. 새 도안의 카드가 완성되면 그 도안과 사사키 씨의 글씨가 늘어선, 의견을 묻는 팩스가 들어온다. 자유롭고, 목소리가 들리는 것 같은 글씨다. 지잉 하고 팩스가 들어와 글씨가 보이면, 나도 모르게 말을 걸고 싶어져 바로 답장을 써서 보낸다.

사사키 씨는 책의 표지 그림도 많이 그리는데, 직접 쓴 책도 있다. 수필집 두 권인데, 모두 글과 글 사이에 사사키 씨의 그림이 들어가 있다. 그 책을, 아직 서점을 시작하기 전에 소품과 함께 진열했었다. 아주 적은 수의 책만 팔고 있을 때라 또렷하게 기억하고 있다. 그뿐만이 아니다. 두 권 중 하늘색 표지의 책은 개인적인 기억과도 연결되어 있다. 『하늘색 창そら色の窓』이라는 제목의 책.

벌써 몇 년 전 일인데, 한 손님이 잠깐 시간을 내달라고 해서 그 손님의 집에 간 적이 있다. 갑작스런 초대였기에 알맞은 선물을 사러 갈 여유도 없었고, 그녀의 몸 상태가 좋지 않아 식욕이 없다는 것도 알고 있었다. 그래서 어떻게 할까 하고 집 안을 둘러보니 몇 가지의 파란색으로 콜라주된

표지가 눈에 뜨였다. 화창한 날로, 셋집의 정원에는 민트가 가득했다. 초록과 파랑을 가지고 가고 싶다는, 이유를 알 수 없는 생각에 들고 갔다. 그녀는 뜻밖에도 기뻐했고 하늘의 푸른색을 좋아한다고 말했다. 그로부터 얼마 후, 그녀는 돌연 세상을 떠났다. 나는, 그녀와 하늘색 책을 잃었다.

사사키 씨에게 무심코 이런 사정을 말한 적이 있다. 사사키 씨의 책이 갖고 싶어서 재고 문의를 했을 때 수중에 없는 이유를 설명한 것이다.

더 이상 재고가 없다고 들어 포기하고 있었는데, 얼마 후 『하늘색 창』을 받았다. 수중에 있는, 몇 권 없는 것을 보내준 것이다. 오랜만에 펼치자, 책을 받았을 때 곁들여져 있던 편지가 끼워져 있었다. "다지리 씨에게 없는, 그 사정을 알아버렸으니……까"라고 쓰여 있다. 팔랑팔랑 페이지를 넘기다 「만월의 밤」이란 글과 맞닥뜨렸다.

"이제 곧 만월이네."

이런 걸 신경 쓰며 살고 있는 사람이 내 주변에는 의외로 있다. 보름이 가까워지면 자연스럽게 그런 이야기를 할 것 같은 사람이. 나도 그런 사람 중 하나다.

사사키 씨 또한 달을 보고 있었다. 사사키 씨에게도 달 친구가 있다. 물어본 적은 없지만, 하늘색 표지의 책을 받았던 그녀도 분명히 달 보는 걸 좋아했을 것이다. 하늘의 푸른색이 좋다고 했었으니까 푸르게 빛나는 달 또한 좋아했을 거라고 멋대로 생각한다.

요전에 히토미 씨가 놀러 올 거라고 요시모토 씨로부터 연락이 왔다. 다이다이 서점에도 데려올 거라고 했다. 수년 전, 15년 만에 도쿄에 갔는데 시간이 없어서 들리지 못해 마음의 빚이 있었다. 오랜만에 만나는데 서점에도 와준다니 기뻤다.

서점을 시작했을 때, 오랫동안 연락을 하지 못했는데도 기타데 씨에게는 근황을 전하지 않으면 안 될 거 같아 연락했다. 그때, 당신이 서점을 한다는 건 뭔가 옳다는 생각이 든다, 와 같은 이유를 말해주셨다. 그리고 개업 선물로 자신의 사진집 열 권을 보내주셨다.

서점에서 판매해도 좋고, 나눠줘도 괜찮으니까 좋을 대로 써.

감사하다는 연락을 하니 이렇게 말해주셨다.

그래서 언젠가 기타데 씨에게 완성된 책장을 보여주고

싶다고 생각했다. 하지만 이번에 만난 건 히토미 씨뿐이다.

기타데 씨는 수년 전에 세상을 떠났다. 언젠가 유미 짱을 만나러 구마모토에 놀러 갈게, 라고 하며 히토미 씨와 함께 기대하고 있었다고 한다. 오렌지도 있고 말이야, 라고. 그래서 히토미 씨 홀로 구마모토에 올 생각이 좀처럼 들지 않았던 것 같아, 라고 요시모토 씨가 알려주었다.

기타데 씨가 칭찬했었어요. 사사키 씨에게도 들은 적이 있다. 기타데 씨가 칭찬해주는 이유는, 역시 전혀 모른다. 그러니 이유를 물으러 갈걸 그랬다. 직접 만나 칭찬받았으면 좋았을 텐데.

계산대 바로 근처, 내 눈길이 닿는 곳에, 지금도 기타데 씨의 캘린더를 걸어두었다.

우표 없는 편지

작은 것들

서점 벽의 절반 정도는 창문이 차지하고 있다. 동쪽 창문 바로 맞은편에 나무 한 그루가 있다. 확실하지 않지만 비슷한 모양의 잎을 인터넷에서 찾아봤더니 아무래도 미국풍나무 같다. 단풍잎은 아니지만 단풍잎을 닮은 단풍나무라서 단풍잎단풍나무(미국이 원산지로, 한국에서는 미국풍나무라고 한다—옮긴이). 찾다 보니 그 나무의 존재가 점점 가깝게 느껴져 찬찬히 바라보게 되었다. 가을이 되면 초록색 잎이 조금씩 물든다. 초록색이 점점 오렌지색이 되고, 그것이 짙은 빨간색에서 보라색이 감도는 색으로 변한다. 떨어진 잎을 주워 그 안에서 색채의 그러데이션을 본다.

열매도 자주 줍는데, 씨앗은 다 빠져나가고 껍질만 남아서 떨어지는 것 같다. 눈에 띄면 무심코 주워버리는 건 나만 그런 게 아닌 것 같다. 손님이 주워 와서 건네줄 때도 있다. 씨앗을 지키기 위해서인지 가시가 삐죽삐죽 나 있지만 한동안 내버려두면 만져도 따갑지 않다. 집에 가져가면 고양이의 장난감이 된다.

지금까지는 올려다 볼 때가 많았던 나무지만, 서점이 2층에 자리하면서부터는 마주 보고 있다.

봄이 되면 조금씩 새순이 나와 새를 자주 보게 되었다. 창문 너머라 인기척을 알아채지 못하는 것을 다행으로 여기며 유심히 본다. 어떤 새일까 확인하려고 하면, 포드닥 날아간다. 다섯 갈래로 갈라진 잎이, 봄날의 조금 센 바람이 불어서, 팔랑팔랑 손을 흔들 듯 흔들린다. 어린잎은 여기저기서 잇따라 나온다. 작은 것은 마치 쥐의 손바닥 같다. 매일 커튼을 걷은 다음 늘어난 잎을 확인하는 게 즐거움이었다. 잎은 나날이 늘어 순식간에 녹음이 우거졌다. 무성한 잎사귀 안을 들여다보자, 나무 속으로 빨려 들어가는 것 같았다.

뿌리 바로 위가 아스팔트로 단단하게 덮였고, 바로 옆

에는 가로등이 서 있고, 옆으로는 차가 다닌다. 그래도 한 그루의 나무가 있는 것만으로 그곳이 얼마나 풍요로워지는지. 바람이 강한 날, 손님이 흔들리는 나뭇잎을 보고 시원하네, 라고 했다. 5월이라고 하지만, 그날은 한여름이었다. 저 나무를 보는 것만으로도 시원한 느낌이라고 하셨다.

그로부터 며칠 후 출근해 창문을 열었는데 이상한 느낌이 들었다. 쓸쓸했다. 미국풍나무의 가지가 가지치기되어 있었다. 게다가 이렇게 잘라야 하나란 생각이 들 정도로 바싹 잘랐다. 나뭇잎이 간신히 나무라는 걸 알아볼 정도로 아주 조금밖에 달려 있지 않았다. 가위로 머리가 박박 깎인 아저씨 같다. 가지와 가지 사이가 텅 비어서 맞은편 건물의 콘크리트가 빈틈을 채우고 있다. 정원수의 가지치기였다면, 이렇게 조잡하게 하지는 않았을 텐데. 일하는 동안 계속 그 나무가 정면으로 보여서, 시야에 들어올 때마다 안타까운 기분이 들었다.

나무가 잘 보이는 자리에 앉은 손님에게 메뉴판을 드리러 가니 잘라버린 거야? 안됐네, 라고 하셨다. 안타까운 마음이 드는 건 나뿐만이 아니었다. 너무 바짝 잘랐죠, 하며 진심으로 공감했다. 태풍이 잦은 계절이 오는 건 알고 있다. 자르지 말라고 하지는 않지만, 조금 더 신경 써주었으면 한다.

어제, 이 나무를 보는 게 좋다며 반드시 나무 앞 자리에 앉는 손님이 오셨다. 이렇게 바짝 잘라버렸어요, 라고 일러바치자, 어머 정말 나뭇잎이 거의 없어졌네, 라고 하셨다. 그래도 분이 풀리지 않아 한층 더 투덜투덜 욕을 하니 친구 같은 존재니까요, 라고 하셨다. 그리고 가기 전에도 여름이 가까워지면 분명히 다시 무성해질 거라고 위로해주셨다. 요동치던 마음이 조금 가라앉았다.

이전하기 전의 점포는 나가야처럼 건물이 이어져 있었다. 도대체 어디에 숨어 있었는지 모르겠지만, 족제비가 살고 있었다. 목격한 적도 있다. 한번 눈이 마주친 적이 있는데 발길을 돌려 틈새로 도망쳤다. 처음에는 우연히 어디선가 지붕 밑으로 쑤시고 들어온 거라고 생각했는데, 건물 바로 뒤편의 영화관을 부수고 호텔이 지어진 다음부터 소리가 잦아졌다. 보금자리가 없어졌을지도 모른다. 위생상 문제가 생기니까 서점 안에는 들어오지 않게 해달라고 빌 뿐이었다. 그런데 족제비들은 번화가의 건물 뒤에 서식하는 쥐 등을 잡아먹으며 살고 있는 것 같다. 족제비가 있고 없고 어느 쪽이 위생적일지는 잘 모르겠다. 어느 쪽이든 인간에게 이러쿵저러쿵 말할 권리는 없다. 애당초 족제비들의 자리를 빼앗고 있으니까.

문을 닫고 야근을 하고 있을 때, 음악도 끈 서점에 혼자 있는데, 어디선가 울음소리 같은 게 아주 희미하게 들린 적이 있다. 처음에는 쥐가 내는 소리인가 했지만 잘 들어 보니 아니었다. 고양이 울음소리와도 달랐다. 들어본 적은 없지만 새끼 족제비의 울음소리일지도 모르겠다고 생각했다.

그 주변에는 길고양이도 많았고 아주 가끔 너구리를 볼 때도 있었는데, 그들은 어떻게 공존하고 있었던 걸까. 고양이와 너구리는 쥐를 쫓거나 사람들이 주는 것을 먹었다. 까마귀는 그걸 가로채거나 쓰레기통을 엿보곤 했다.

서점 안에 대량의 흰개미가 출몰한 적도 있다. 작은 곤충 집단은 질색이라 사실은 비명을 지르고 싶을 정도로 무서웠지만 영업 중이라 어떻게든 참았다. 집에서 이런 일이 생길 경우, 내가 지른 소리에 시라다마가 놀라서 도망가기 일쑤지만.

접객 중일 때는 점점 늘어나는 작은 것들을 곁눈질하면서 웃는 얼굴로 손님과 이야기하며 개미들을 어떻게 할까 궁리할 정도로 담대해지니 신기한 일이다. 카운터석에 앉은 손님에게는 결국 들키고 말았지만, 단골손님이라 놀라지 않고 차분하게 있었다. 다른 손님이 간 뒤로 그 자리는 어떻게든 대처하고 나중에 방역 전문가를 불렀다.

우거진 미국풍나무 잎 사이 깊은 곳을 보며 예전 점포의 주변에 있었던 생물들의 기운을 자주 떠올렸다. 나는 새 정도만 볼 수 있지만, 이 나무를 보금자리로 삼거나 쉬는 곳으로 삼은 작은 생물들이 이 나뭇잎의 깊숙한 곳에서 꿈틀거리고 있다. 그렇게 생각하니 조금 가슴이 두근거렸다. 그래서 더더욱 가지치기를 한 게 화가 났지만, 아스팔트로 다진 도로를 통해 자동차로 출근하는 나한테 짧게 가지치기를 한 것을 비난할 권리는 없을지도 모른다. 서점 안에 흰개미가 생기면 없앨 수밖에 없기도 했고.

얼마 전에 꽃집에 가니 화초 잎에서 나비가 짝짓기를 하고 있었다. 잎이 꽤 무성한 훌륭한 화초였는데, 가격표가 붙어 있는 판매용이었다. 하지만 나비에게는 아무 상관없는 일이다. 짝짓기를 하는 모습을 인간이 가만히 보고 있다는 것도 알 바 아닐 테니까, 나도 개의치 않고 유심히 봤다. 두 마리 다 하얗고, 한쪽은 노르스름했다. 아마 배추흰나비로 옅은 노란색을 띠는 게 암컷일 것이다. 초록 잎사귀 위에서, 두 마리의 하얀 날개가 은은하게 빛을 받아 무척 아름다웠다. 다른 화분에서는 벌이 꿀을 모으고 있었다. 여기는 꽃이 많으니까 꿀을 모으기 쉬운 곳임에 틀림없다.

작은 생명체들에게는 산속이든, 꽃집의 화분이든 다를 바 없다. 살기 힘든 세상이네 같은 생각을 하는 일 없이 무심하게 있다.

가지가 잘린 미국풍나무 역시 가지를 자른 인간도, 애태운 나도 전혀 신경 쓰지 않을 것이다.

기린

서점을 2층으로 옮긴 뒤로 길고양이를 자주 보지 못했는데, 오랜만에 고양이 소동이 있었다.

시라다마를 처음 임시 보호했던 사람으로부터 모처럼 연락이 왔다. 개와 고양이를 자주 임시 보호하는 사람인데, 좀처럼 입양자가 나타나지 않는 새끼 고양이가 있으니 보여주고 싶다고 했다.

그렇게 나타난 새끼 고양이는 털이 길고 복슬복슬한 게 동글동글했다. 옅은 갈색 털이 빛의 가감에 따라 오렌지색처럼 보이기도 했다. 긴 털 때문에 실제보다 커 보이지만, 안아보니 상상 이상으로 가볍다. 겁이 많은지 쓰다듬어도 안아줘도 안절부절 진정하지 못했다. 호박색의 큰 눈을 한 미묘다. 코하쿠('호박'이란 뜻—옮긴이)라고 부른다고 했다.

귀엽지만 제법 커서 입양할 사람을 찾지 못할까 봐 걱정하고 있었다. 손님들에게도 물어보겠다는 등의 이야기를 하고 있는데, 잠깐 눈을 뗀 사이에 코하쿠가 없어졌다. 문을 열어두지 않았으니 바깥으로 나갔을 리는 없다. 서점 안을 샅샅이 뒤지니 창문과 싱크대 사이의 틈에 비집고 들어가 있었다. 겁에 질려 숨은 것이니 부른다고 해서 나올 리가 없다.

그 틈은 마른 사람이라면 지나갈 수 있는 정도의 너비지만, 카운터가 입구를 반쯤 막고 있어서 안쪽까지 갈 수 없고, 손을 뻗어도 코하쿠한테까지 닿지 않는다. 게다가 코하쿠 정도로 작다면 거기서 바닥 아래로 들어갈 수 있다는 걸 깨닫고 더 초조해졌다.

카운터 근처에는 턱이 있다. 원래 수전이 없었던 곳에 주방을 만드느라 벽 너머 화장실에서 수도관을 끌어와서 바닥 밑으로 연결했다. 손님에게 보이는 부분은 말끔하게 막아두었는데, 설마 새끼 고양이가 들어갈 거라고는 시공업체도 생각하지 않았을 테니 싱크대 뒤쪽은 그대로 두었다.

만약 바닥 아래로 들어간다면, 바닥을 뜯어내지 않고는 꺼낼 수 없을지도 모른다. 최악의 상황을 상상하고, 불안한 목소리로 코하쿠~ 하고 부르니까 새끼 고양이는 긴장해서 더 나오지 않았다.

안달해도 소용없다고 마음을 고쳐먹고, 먼저 바닥 아래로 들어가지 않도록 했다. 억지로 손을 넣어 상자로 틈을 막았다. 그리고 꾀어내기 위해 코하쿠가 좋아하는 고양이 낚싯대를 사러 가기로 했다. 영업이 끝나서 아무도 오지 않으니까 더 이상 겁에 질릴 일은 없겠지.

장난감을 사 와서 좁은 틈으로 고양이 낚싯대를 팔랑팔랑 흔들기도 하고, 이름을 부르기도 하고, 맛있는 간식을 뜯어놓고…… 생각나는 것은 다 해봤지만 코하쿠는 꼼짝도 하지 않았다. 최후의 수단으로 과감하게 위에서 찔러보기로 했다. 위에서 긴 막대기 같은 것으로 찌르면 놀라서 출구 쪽으로 달려갈걸……이란 작전이다. 가엾지만 달리 뾰족한 수가 떠오르지 않았다. 우선 막대기를 찾아봤지만, 싱크대를 따라 창가와 평행하게 만들어놓은 벽은 사람 키만 해서 거기서부터 바닥까지 닿을 만한 길이의 막대기는 좀처럼 찾을 수 없었다.

곤란한 일이 생기면 근처에 살고 있는 사치코 씨에게 도움을 청한다. 사치코 씨의 집은 걸어서 1분도 걸리지 않는 곳에 있다. 현대미술가로 우리 서점에서 몇 번 전시를 한 적이 있다. 여러 가지 소재를 써서 작품을 만들기 때문에 서점에는 없을 법한 공구나 편리한 도구를 잔뜩 갖고 있다. 그래서 갤러리에서 다른 작가의 전시 준비를 할 때도 도구가 없어 곤란하면 사치코 씨의 집으로 달려간다.

이번에도 긴 막대기 비슷한 무언가가 없냐고 물어보니 갑판을 닦는 솔인 덱 브러시를 빌려주었다. 빠듯하게 닿을 정도의 길이다. 그런데 그렇게 작은, 겁에 질린 고양이를 쿡쿡 찔러야 한다니 마음이 무겁다. 굳게 마음먹고 살살 막대기를 넣어서 찔러보지만, 기가 죽어서 과감해지지 않는지 꿈쩍도 하지 않는다. 오히려 더 웅크리고 말았다. 이제 더 이상은 웅크릴 수 없을 정도로 몸에 힘을 주고 얼굴도 숨겨서 둥그런 털뭉치 공으로밖에 보이지 않는다.

잠깐 내버려둡시다. 이리저리 궁리한 결과, 나는 일단 집으로 돌아가기로 했다. 낯선 사람이 있으면 괜히 겁먹고 나오지 않을 것이다. 다행히 서점에 침낭과 담요가 있으니까 혹시 아침까지 나오지 않으면 그녀도 잠시나마 눈을 붙이기로 했다.

언제라도 상관없으니까 코하쿠가 나오면 전화하세요, 문을 닫으러 오겠습니다. 그렇게 말해놓고 집으로 돌아왔다.

집에 왔지만, 조바심이 났다. 안절부절 몇 번이고 휴대폰을 들여다보고 만다. 씻으러 들어가서도, 욕실 앞에 휴대폰을 두고 씻는 둥 마는 둥 하고 나왔다. 한밤중이 지나도 전화는 오지 않았다. 책을 읽어도 마음이 어수선해 집중할 수 없었다. 책 읽는 걸 포기하고 잠자리에 들었는데, 해 뜰 무렵 그제야 전화가 왔다.

코하쿠가 나왔어요!

바로 갈게요, 하고 황급히 옷을 입고 나갔다.

희붐하게 날이 밝는 것을 오랜만에 봤다. 잠꾸러기라서 좀처럼 만나기 힘든, 새벽의 광경이다. 한겨울이라 춥긴 했지만 청명한 게 기분 좋은 아침이었다. 새끼 고양이가 무사히 나왔다는 안도와 아침의 기분 좋음에 점점 마음이 가벼워졌다.

서점에 도착하니, 코하쿠는 아무 일도 없었다는 듯이 이동장에 들어가 있었다. 폭신폭신한 털을 한 번 더 쓰다듬고 싶지만, 서로 일이 있는 처지라 인사도 하는 둥 마는 둥 헤어졌다.

다음 날, 사과 문자에 "코하쿠는 그렇게 야단법석을 떨게 하더니 아무 일도 없었다는 모습으로, 늘어난 새 장난감에 무척 기뻐하며 놀고 있습니다"라고 사진이 첨부되어 왔다. 장난감을 노리고 있는 걸까, 눈을 크게 뜨고 위를 올려다보고 있다.

보고 싶다는 사람이 있다면 연락달라고 해서 고양이를 좋아하는 손님이 왔을 때 사진을 보여주었다. 2주 정도 지난 즈음, 한번 보고 싶다고 손님 한 분이 연락을 주셨다. 그래서 연락하니 임시 보호를 희망한 사람이 데려갔다고 한다. 기르고 싶지만, 이미 같이 살고 있는 고양이가 있어서 둘이 잘 맞을지 어떨지 보려고 시험 삼아 데리고 있다고 한다. 손님은 결정이 날 때까지 기다리겠다고 했지만, 코하쿠는 결국 그대로 그곳에서 살게 되었다.

코하쿠는 그 손님과 함께 살았던 고양이와 조금 닮았다. 그래서 귀엽지 않냐며 사진을 보여준 것이다. 누가 데려갔든 코하쿠는 사랑받고 행복하겠지만, 그녀에게는 미안한 일을 저지르고 말았다. 코하쿠의 사진은 그녀의 핸드폰에서 사라지지 않았다.

그로부터 반년 정도 지나, 예전에 일했던 유타로부터

새끼 고양이를 보호하고 있다는 연락이 왔다. 유타는 자주 고양이를 데려온다. 이번에는 함께 살고 있는 파트너가 데려온 모양이다. 기를 사람을 찾고 싶다고 해서 사진을 보내라고 했다. 삼색 고양이지만, 무늬도 조금 있는 것 같고 긴 꼬리에 줄무늬가 있다. 눈은 시원스럽게 크고, 눈꼬리 선의 색이 좌우가 다르다. 분위기는 다르지만, 코하쿠처럼 암컷으로 만만치 않게 귀여운 아이다.

곧바로 코하쿠를 포기할 수밖에 없었던 손님에게 연락했다. 바로 보고 싶다고 답이 왔다. 사진을 보며 히쭉히쭉 웃고 있다고 했다.

한 번 본 뒤에는 이야기가 순조롭게 진행되어 그녀가 기르게 되었다. 며칠 후, 고양이모래에 캣푸드에 장난감…… 산더미 같은 물건을 안고, 유타가 새끼 고양이를 건네주러 왔다. 서점에서 만나기로 한 듯했다. 이동장에서 꺼내달라고 울어대서, 그 손님이 올 때까지 놀아주기도 하고 안아주기도 했다. 귀엽게 생긴 데다 애교가 많고 사람을 잘 따라서 금방이라도 정이 들 것 같았다.

잠시 후에 고양이를 기르기로 한 손님이 와서 만면에 미소를 지으며 새끼 고양이를 데리고 돌아갔다. 그녀는 계속 일이 바빠 서점에도 좀처럼 오지 못한다고 했었다. 가끔 오면 언제나 기진맥진한 모습으로, 가뜩이나 말랐는데 점점 수척해지는 것 같아서 걱정이었다. 하지만 다음에 왔을 때는 완전히 웃는 얼굴이었다.

이름은 뭐라고 지었냐고 묻자, 기린이라고 했다.

지금은 완전히 적응해서 꽤나 말괄량이인 듯하다.

깜박이는

가장 오래된 단골손님은 누구일까?

이런 이야기가 나오면 빠지지 않는 사람이 사치코 씨다. 나와 그녀, 그리고 한 사람 더 성이 같은 단골이 있어서, 헷갈리지 않도록, 모두 우리를 성이 아닌 이름으로 부른다. 구마모토에서 '다지리'란 흔한 성이다.

사치코 씨가 처음 서점에 왔을 때는 머리가 길었다고 하면 모두 놀란다. 계속 쇼트 컷이었고, 그게 무척 잘 어울리고 멋있기 때문이다. 그녀의 집은 서점에서 가깝다. 예전에도 가까웠지만, 지금 자리로 옮기자 바로 옆이 됐다. 언제나 걸어서 30초니까~라고 말해서 다른 단골손님들의 부러움을 사고 있다. 그래서 지금은 서점에 오는 횟수가 제일 많은 사람일지도 모른다.

당연한 일인지도 모르겠지만, 카운터석에는 단골손님이 앉는 경우가 많다. 나는 낯을 가리는 편이라 낯선 사람과 이야기를 나누는 걸 불편해하기 때문에 더 그럴지도 모른다. 처음 만난 사람에게는 느낌이 좋지 않을 테니, 카운터석에 앉는 걸 꺼리는 듯하다. 불쑥 앉는 사람도 없진 않지만, 대부분 오가는 동안 차츰 말을 주고받다가 대화의 흐름에 따라 카운터석에 앉기 시작한다.

처음 가게를 시작했을 때, 인테리어 업자는 오래된 건물의 천장이 낮으니 카운터석은 만들지 않는 게 좋겠다고 했다. 여러모로 궁리하고 있는데, 여기에 오는 걸 기대하고 있던 술친구가, 그러면 우리는 어디에 앉으란 거냐며 거세게 반대했다. 천장에 머리가 닿아도 괜찮으니 카운터석에 앉게 해달라고 했다. 거기가 아니면 말할 사람이 없어 심심하다는 것이다. 이전한 곳은 어디에 앉아도 목소리가 들리니까 괜찮은 것 같지만.

사치코 씨도 몇 번인가 서점에 오면서 카운터석에 앉게 되었다. 안면을 튼 후에야, 그녀가 현대미술작가라는 것을 알았다. 도쿄에서는 가끔 전시를 하지만, 오랫동안 구마모토를 떠나 있다가 최근에 돌아와서 전시할 곳이 가늠이 되지 않는다고 했다.

사치코 씨의 전시는 설치미술 작품으로 특정 장소를 사용해 공간 그 자체를 작품으로 변화시킨다. 그래서 갤러리를 찾는다고 되는 게 아니고 갤러리일 필요도 없다. 그녀가 어떤 공간을 작품으로 만들겠다고 생각하지 않으면 만들 수 없는 것이다.

마땅한 곳을 찾을 수 없다고 들었을 때, 실은 서점 안에 손님 그 누구도 모르는 재미있는 방이 있다며 사치코 씨를 데려갔다. 예전에 있었던 곳은 2층이 갤러리였는데, 그 안에 작은 방이 하나 더 있었다. 다락방 같은, 알전구가 하나밖에 없는 어스름한 곳이다. 품을 들여 손을 봐도 쓸모가 없어 보여 수리를 하지 않았다. 천장은 느닷없는 함석에, 틈새로 철선 같은 것과 하늘이 조금 보인다. 바닥재는 벗겨져서 걸으면 떨어져 나올 것 같은 부분이 있다. 벽은 신문지 같은 게 붙어 있던 흔적이 남아 있고 널빤지가 드러나 있다. 여기에 갇히면 틀림없이 불안해질 것이다. 안인지 밖인지 짐작이 가지 않는 곳. 그 방을 보여주니, 여기서 작업을 해보고 싶다고 했다.

사치코 씨는 그 방 자체가 마치 거미집인 것처럼 섬유로 둘러쳤다. 전시 타이틀은 〈이어지는 기억〉. 우리가 그 속에 푹 들어가게 되어 있다. 전시를 보러 온 사람도 작품의 일부다. 만일 중간에 섬유가 끊어져도 그 또한 작품의 변화이기 때문에 상관없다고 그녀는 말한다.

전시현장에서밖에 만들 수 없는 작품이라서 사치코 씨는 일주일 정도 오가며 작품을 만들었다. 마침 주방의 바로 위쪽에 위치한 곳이라서, 그녀가 작업하는 동안, 가끔 삐걱삐걱 걷는 소리가 났다. 이쪽에는 소리가 닿는데, 위에는 냄새가 가득하다. 케이크를 굽거나 카레를 만들고 있으면, 사치코 씨의 위를 자극했던 것 같다. 물론 소리도 들리기 때문에 카운터에서 웃음소리가 나면 무슨 얘기를 하고 있을까 궁금했어~라고 나중에 말하곤 했다.

전시가 시작되고, 손님들이 2층으로 올라가면 처음에는 모두 멍하게 있었다. 전시를 하고 있는 것 같은 방에는 아무것도 없기 때문이다. 그곳은 이상한 구조로 방과 방 사이에 창이 있다. 창 너머는 나중에 증축되었을지도 모른다. 그래서 엉성한 만듦새에 이상한 형태를 하고 있는 것일 테다. 잘 보면, 그 창문으로 거미줄처럼 둘러쳐진 섬유가 엿보인다. 그걸 눈치 챈 사람은 평소 의식조차 하지 않았던 문 안쪽을 들여다보게 된다. 주뼛주뼛 안으로 들어가면, 둘러친 섬유 속에 사람 하나가 들어갈 수 있게 되어 있다. 고요하고 어둑어둑한 곳에서 모두 무슨 생각을 했을까?

사치코 씨의 작품은 남지 않는다. 장소를 포함한 작품이기에 철거하면 홀연히 자취를 감춘다. 하지만 전시를 체험한 저마다의 기억에 그녀의 작품이 계속 존재한다. 그 기억마저도 작품이지 않을까?

사치코 씨는 그 후에도 서점의 여러 공간을 사용해 몇 차례 전시를 했다. 카페의 계단통 부분에 빛 그 자체를 나타낸 것 같은 공 같은 물체를 잔뜩 매달거나, 골판지에 시인의 말을 옮겨 적거나…….

그리고 얼마 전에 새로운 공간에서도 처음으로 전시를 했다. 타이틀은 '쌓이는 시간'. 이 전시는 손님을 몹시 놀래켰다. 아무것도 없다고 당황하며 나온 사람도 있었다. 갤러리에 들어가면 정말 텅 비어 있다. 전시장을 잘못 찾아온 거라고 생각하는 사람이 있는가 하면, 원래 깔려 있던 나무벽돌이 작품이라고 생각한 사람도 있다. 잠깐 안에 있으면 보여요. 이런 선문답 같은 말을 하면, 의아한 얼굴로 갤러리로 돌아간다. 전시 내용을 알게 돼도 그다지 관심을 보이지 않고 돌아가는 사람도 있지만, 대부분 기쁜 듯이 무언가 말하고 싶은 얼굴로 돌아왔다. 감상은 제각각이고, 설령 아무것도 느끼지 못한다 해도 상관없다. 전시를 보는 시간 또한 제각각. 바로 나가는 사람이 있는가 하면, 왔다는 것을 잊어버릴 정도로 오랫동안 있는 사람도 있다. 전시를 하는 동안 서점에 올 때마다 들어가는 사람도 있다.

갤러리 바닥의 나무벽돌은 공간에 맞춰 목수가 깔아주었지만, 틈이 벌어지는 부분이 있다. 사치코 씨는 그 틈에 군데군데 LED 조명을 넣었다. 그리고 창밖에도 등이 설치되었다. 햇빛이 들어오는 곳에 켜진, 희미한 불빛. 방 안으로 들어가 잠깐 걸으면 발밑에서 빛이 새고 있는 걸 알 수 있다. 보는 각도에 따라 안 보이기도 해서, 걷다 보면 등불이 드문드문 켜져 있는 듯한 착각에도 빠진다.

등불이라고 해도, 대부분의 사람이 낮에 보기 때문에

금방이라도 꺼질 듯한 빛이다. 하지만 그 빛을 계속 보고 있으면 깜박이기 시작한다. 자신이 어디에 있는지 분명치 않게 된다. 바닥은 바닥이 아닌 것처럼 느껴진다. 발밑은 단단한 나무벽돌인 것 같은데, 불안정한 것 같은 느낌도 든다. 구름 위에 설 수 있다면, 거리의 불빛이 이렇게 보일지도 모른다.

6월에 한 전시라 해가 길어, 그 방은 문을 닫기 직전에야 어두워졌다. 그래서 어둠 속에서 전시를 본 사람은 별로 없다. 나만 여러 시간대에 전시를 즐겼다. 하지만 어둠 속에서 선명한 불빛을 보는 것보다 금방이라도 꺼질 듯한 빛을 체험하는 쪽이 훨씬 환상적인 공간이었다. 물론, 사치코 씨는 손님이 작품을 보는 것은 낮이라는 것을 의식해서 만들었으니 당연하다.

의지할 데 없어 보이는 희미한 빛을 보고 있으면, 이상하게도 마음이 차분해진다. 밖에서 나는 소리도 빛과 함께 있는 듯한 느낌이 든다. 벽이 있지만, 없는 것 같은 기분도 든다. 지금까지 본 사치코 씨의 전시 중에서 이 전시를 제일 좋아한다. 시간도 공간도 끝없이 펼쳐져 있는 것 같은 느낌이 들었다.

이렇게 시간이 들지 않는 설치는 처음이야. 작품을 완성했을 때, 사치코 씨는 웃으며 말했다.

우에키 수박과 편지

고죠가 교토에서 선물을 사 왔다. 산초멸치조림과 《오버Over》라는 잡지의 창간호. 세 권 샀으니까 한 권 보라며 건넸다. 서점을 하고 있는데도 사람들이 책을 준다. 희귀본을 찾았다며 여행 기념품으로 주거나, 읽어보라며 주기도 한다.

특집은 'STONEWALL 50'이었다. 스톤월 항쟁은 마침 내가 태어난 해에 일어났다. LGBT 당사자들이 자존심을 버리지 않기 위해 봉기, 권력자들에게 항거했지만 그로부터 반세기가 지난 지금도 세상의 변화는 더디다. 고죠는 학교나 공공기관에 LGBT 당사자로 강연하러 갈 때가 있다. 이 잡지는 참고자료가 될 거라 생각해 샀을 것이다.

얼마 전 고죠는 차를 마시며, 교토에 갈 일이 생겼는데 엄마도 같이 가자고 말하고 있었다. 고죠의 어머니는 원래 교토를 정말 좋아해서 예전에는 자주 갔지만, 최근에는 잘 가지 못했다고 한다. 고죠가 권했을 때는, 모처럼 가는데 당일치기라니…… 하며 주저하셨다.

어머니는 어떻게 하셨느냐고 묻자, 결국 같이 갔다고 한다. 평소 걱정만 끼쳤던 어머니에게 훌륭한 효도를 했던 것이다. 고죠의 아버지는 일찍 세상을 떠나셨는데, 고베까지 가서 오랜만에 성묘도 하고 왔다고 한다.

고죠는 지금은 아저씨라고 해도 이상하지 않을 나이지만, 처음 서점에 왔을 때는 십대의 청소년으로 유타와 같이 왔다. 유타가 서점에서 일하기 전이었다. 당시 두 사람은 사귀고 있었고, 동시에 게이라는 것을 커밍아웃하고 지내고 있었다.

고죠의 어머니가 'LGBT의 가족'을 연구하는 대학생과 인터뷰를 한 적이 있다. 이야기를 들을 수 있을까, 라고 고죠를 통해 부탁했다고 한다.

카운터에서 떨어진 자리에 앉아 있었고, 귀를 기울이

지 않아 인터뷰 내용은 거의 몰랐지만, 한 가지만큼은 귀에 들어왔다. 고죠가 커밍아웃했을 당시 어떤 심정이었느냐는 질문이었다. 고죠의 어머니는 시원시원한 성격의 소유자로, "'아아, 그래?'라고 생각했다"고 말씀하셨다. 이래서야 인터뷰를 계속하기 쉽지 않겠네, 라며 나도 모르게 웃음을 참았다. 카운터석에서 인터뷰가 끝나는 걸 기다리고 있던 고죠도 쓴웃음을 짓고 있었다. 아마 그 질문은 인터뷰어에게는 절실한 질문이지 않았을까? 당사자의 고뇌와 혼란스러운 감정이 드러나는 것을 기대하고 있었음에 틀림없다. 하지만 고죠의 어머니는 줏대가 센 사람이고, 자세히는 모르지만 꽤 파란만장한 인생을 살아온 듯해 그렇게 대답해도 이상하지 않았다. 자식들이 어떻게 살든 본인의 의사를 존중하는 사람인 것이다.

인생 경험이 많은 어머니라 다행이라고 고죠에게 말하니, 고개를 끄덕이며 여러 가지 일로 인생이 바뀌죠, 라고 했다. 어머니가 게이인 그를 받아들일 수 없는 사람이었다면, 확실히 무언가 달랐을 것이다. 지금처럼 여러 곳에서 강연을 하지 못했을지도 모른다. 엄마한테는 마음대로 살아왔다는 부담이 있었을지도, 라고도 했다. 어쨌든 이해해주는 사람이

한 명이라도 더 가까이 있는 게 좋은 건 당연하다.

어머니에게 커밍아웃을 한 건 언제였을까. 고죠에게 물어본 적이 있다. 유타의 말이 계기가 되었다고 했다. 유타에게 왜 가족에게 말할 생각이 들었느냐고 물었더니 "만약 말하지 않고 죽어버리면, 자기가 좋아하는 사람한테 죽을 때까지 거짓말을 하게 되는 게 싫으니까"라고 했다고 한다. 듣고 보니 그렇단 생각이 들고, 자기도 그건 싫어서 말하게 됐다고 한다.

결심하고, 어느 날 어머니에게 고백하자 인터뷰의 답변처럼 대수롭지 않다는 듯 "아, 그래"라는 대답이 돌아와 맥이 풀렸던 모양이다.

이성애자가 굳이 자신의 성적 지향을 말하는 경우는 거의 없을 것이다. 나 역시 이성애자입니다, 라고 부러 선언한 적은 없다. 하지만 원래라면 자신의 성적 지향은 그 누구도 말하지 않아도 되는 것이다. 좋아하는 사람이 생기면, 말하고 싶은 사람에게만 말하면 된다.

고죠의 어머니가 수박과 편지를 보내신 적이 있다. 그녀는 수박의 명산지인 구마모토의 우에키에서 일하고 있어서, 두드리면 맛있는 소리가 나는 최상급 수박이 왔다. 통째로 냉장고에 넣기 어려울 정도로 큰 수박이었다.

편지는, 사과의 편지였다. 연애가 파탄 났을 때 어느 한쪽이 나쁘다고 하는 건 대개 별로 없지만, 유타와 헤어졌을 때는 명백하게 고죠가 잘못했다. 그즈음 유타는 구마모토에 살지 않았지만, 구마모토로 돌아와 고죠와 같이 살기로 결정한 직후에 헤어지게 되었다. 결국 혼자 구마모토에서 살게 된 유타의 집은, 시간이 없었던 사정도 있어서, 대신 내가 찾아주었다. 개인적인 일이라 이 이상 자세히 쓸 수 없지만, 나도 유타가 불쌍하다며 화를 내고 말았다.

한 번 죄송하다는 전화가 왔었지만 쌀쌀맞게 대했기 때문에, 고죠도 죄책감에 서점에 오기 어려워진 것 같았다.

고죠네 어머니의 편지가 온 것은 그로부터 얼마 지난 후의 일이었다. 유타와 고죠의 가족은 사이좋게 지냈었기에 "가슴에 구멍이 뚫린 것처럼 괴롭습니다"라고 쓰여 있었다. "변변찮은 것이지만, 유타와 드세요. 다시 뵐 날을 기다리고 있겠습니다"라고 편지는 끝났다.

그러고 보니, 요즘 서점에 오시지 않는다는 걸 깨닫고 허둥지둥 답장을 썼다. 뭐라고 썼는지는 잊어버렸지만, 모쪼록 신경 쓰지 마시고 서점에 오시라고 한 것 같다. 고쬬의 어머니를 신경 쓰지 못한 걸 반성하면서 수박은 맛있게 먹었다.

이 편지에 대한 이야기는 너무나 사적인 이야기라 쓸 수 없다고 생각했는데, 써도 괜찮다고 했다. 고쬬가 다음 책은 언제 나오느냐고 물어보길래, 서점 손님들에 대한 걸 써 보라고 해서 좀처럼 진도가 나가지 않는다고, 재미있는 것일수록 쓰기 어렵지, 라고 답했다. 예를 들어 고쬬의 수박 이야기 같은 건 쓸 수 없잖아, 라고 하자 뜻밖에도 써도 괜찮다고 했다. 좋은 추억이 될 거라며.

고쬬가 얼마 동안 오지 않았는지는 잊어버렸지만, 지금은 유타와 카운터석에 나란히 앉아도 아무렇지 않게 되었다. 물론, 그렇지 않았다면 이 글은 쓰지 못했을 것이다.

다시 서점에 오게 된 것은, 고쬬의 친구 덕분이다. 어느 날, 카운터석에 앉아 있던 손님에게 고쬬가 전화를 했다. 다이다이 서점에는 갈 수 없어서 근처에서 기다리고 있다고 하는 것 같아서 바꿔달라고 한 뒤 오라고 했다. 잠시 후, 긴장한 표정의 고쬬가 오랜만에 왔다. 그러고 나서는, 유타가 있는지 없는지 신경 쓰면서도, 다시 서점에 오게 되었다.

두 사람이 헤어진 후, 마메코 씨가 "고죠는 건강하게 지내고 있을까?"라고 가끔 물어보곤 했다. 마메코 씨는 유타의 어머니다. 본명은 아니지만, 유타가 처음에 '마메코'라고 소개해서 서점에서는 모두 그녀를 마메코 씨라고 부른다. 왜 마메코냐고 물어보니 콩알 같으니까, 라는 알 수 없는 답을 들었다(마메豆는 콩을 뜻한다—옮긴이). 유타는 자주 그런 식으로 이름을 붙인다. 나도 처음에는 '요리코 씨'라고 해서 마메코 씨의 휴대폰에는 '요리코 씨'라고 저장되어 있다. 그녀는 한동안 그게 내 본명이라고 믿었던 것 같다.

다시 서점에 오게 된 고죠도 "마메코 씨는 잘 지내나요?"라고 여러 번 물어봤다. 그리고 수년 뒤, 유타의 부모님이 구마모토로 이사를 오면서 직접 인사를 나누게 되었다.

서점에 오지 않았을 때, 고죠가 문 닫은 서점 안을 들여다보고 있었다고 사람들에게 들은 적이 있다. 그 이야기를 들었을 때, 내가 먼저 손을 내밀어야 했나 하고 조금 후회했다. 이미 화는 다 풀렸지만, 유타가 만나고 싶어 하지 않는 걸 알고 있어서 말하지 못했었다. 예상대로, 고죠는 다시 서점에 오게 된 몇 년 동안 유타와 마주치면 꽤 어색해했다. 유타가 카운터석에 앉아 있는 걸 알고 그냥 지나쳐 간 적도 있다. 그래도 사람의 마음은 천천히 변한다. 최근에야 겨우, 둘은 인사를 하게 되었다.

얼마 전에는 고죠의 어머니와 유타가 카운터석에 앉아 꽤 오랜만에 이야기를 나눴다. 유타는 하나도 안 변했네, 라며 다시 만난 걸 기뻐하는 것 같았다.

시간이 빼앗아 가는 것도 있지만, 시간이 돌려놓는 것도 있다.

스티커와 스틱 도넛

물건을 찾고 있는데, 마메코 씨가 보낸 편지가 나왔다. 반짝거리는 스티커가 잔뜩 붙어 있었다. 마메코 씨한테 받은 편지와 카드에는 몇 개의 스티커가 행간을 수놓은 것처럼 붙어 있다. 그녀는 스티커와 과자와 책을 정말 좋아한다.

기념일도 중요하게 여겨 생일은 물론이고, 밸런타인데이며 크리스마스에도 선물을 갖고 왔다. 과자는 대개 사랑스러운 그림이 그려진 통에 들어 있다.

유타의 부모님은 몇 년 전에 구마모토로 이사했다. 이사 오기 전부터 자주 놀러와서 손님들과도 이미 친한 사이였다. 탓키와 마메코 짱. 사이가 좋아서 두 사람은 언제나 함께였다. 아버님의 이름을 장난스레 '탓키'라고 부르는 손님이 있어서 다들 그렇게 부르게 됐다. 탓키는 언제나 반다나를 머리에 두르고 있었다. 반다나를 두른 모습이 이렇게 그럴듯한 사람을 본 적이 없다.

마메코 씨가 단골손님들과 이야기를 나누거나 책과 잡지를 고르는 동안, 탓키는 언제나 창문가에 앉아 하이네켄을 마시며 조용히 책을 읽는다. 마메코 씨가 여기저기 서가 앞에 주저앉아 골똘히 책을 고르는 모습은 무척 즐거워 보인다. 사 간 책이 자기와 맞지 않았을 때는 확실히 알려주고, 마음에 들었을 때는 반드시 고맙다는 인사를 했다.

히사코 씨가 추천해준 책, 지금 나한테 딱이었어.

사세보가 고향이지만 오랫동안 교토에 살아서 자연스럽게 교토 사투리가 되는 부드러운 말투는 마메코 씨에게 잘 어울린다.

마메코 씨는 기념사진을 찍는 것도 좋아한다. 휴대폰을 스마트폰으로 바꾸고 싶은 이유는 사진을 많이 보낼 수 있기 때문이다. 나한테도 자주 같이 찍자고 했다. 사진 찍는 걸 좋아하지 않지만, 마메코 씨가 애교 가득한 웃는 낯으로 찍자고 하면 거절할 수 없다.

2월도 얼마 남지 않았던 무렵, 정원의 매화가 꽃망울을 터트렸으니까, 라며 사치코 씨가 매화꽃가지를 들고 왔다. 사치코 씨의 집은 걸어서 바로라, 정원을 정리하던 김에, 라는 식으로 꽃만 안고 불쑥 나타난다.

매화의 꽃잎은 옅은 핑크색의 그러데이션으로 소담했다. 그다지 사치코 씨답지 않은 꽃이라고 생각했는데, 그녀가 살기 전부터 있었던 것 같다. 내 취향은 아니지만 아름답게 피었으니까 다 함께 보면 좋을 거 같아서, 라고 했다. 소담한 꽃의 모양새를 보고 있으니, 문득 마메코 씨의 얼굴이 떠올랐다. "와아, 아름다워"라고 말할 게 틀림없다. 마메코 씨는 화초를 무척 좋아해서 꽃 그림을 그린다고 했었다. "마메코 짱이 기뻐할 거 같은 꽃이니까 유타한테 가져가라고 할까"라고 사치코 씨와 이야기했다.

마메코 씨는 며칠 전부터 호스피스 병동에 있다.

그녀는 몇 년 전에 발병해 요양생활을 하고 있었다. 병을 안 뒤, 탓키가 정년퇴직을 한 것도 있어서 구마모토로 왔다. 고향인 사세보로 돌아가는 데 그다지 집착하지 않았는지, 아들이 살고 있고 조금이나마 지연도 있는 구마모토를 여명의 장소로 정한 것 같다.

계속 누워만 있던 것은 아니고, 상태가 다소 호전되었던 시기에는 서점에도 자주 얼굴을 내밀었다. 그러나 최근에는 좀처럼 오지 않았다. 마메코 씨를 아는 손님들은 "마메코 씨 잘 계신가요?"라고 묻곤 했다. 가끔 와도 통증 때문인지 몸을 가누기 힘들어하는 것 같았지만 "나, 힘낼 거예요" 라고 언제나 미소 지으며 말했다.

유타에게 연락하자 매화를 가지러 와주었다. 다른 데서도 꽃을 받아 화병이 부족하다고 하는 걸 보니 아마도 꽃에 둘러싸여 지내는 것 같았다. 서점 안도 꽃으로 어우러져 있다. 선물 받은 꽃이 쌓여 도사물나무 꽃에 매화에 동백과 봄꽃의 향기가 안을 가득 채우고 있다. 마메코 씨가 보고 있는 것과 같은 매화를, 우리도 보고 있다. 도사물나무 꽃은 처음 받았는데, 꽃송이가 달리는 방식이 독특해 아무리 봐도 질리지 않는다. 노란색의 작은 꽃이 잇따라 아래를 향해 비녀처럼 피어 있다. 잘그랑잘그랑, 소리가 날 것 같다.

지기 시작한 매화의 꽃잎을 집어 올리니, 빛이 비칠 정도로 얇지만, 어루만져도 찢어지지 않는다. 만지면 매끄러운 촉감에 기분이 좋다. 티슈 한 장 정도를 만지는 느낌인데, 조금 잡아당긴 정도로는 끄떡없다. 결국 버리겠지만, 휴지통에 넣는 게 왠지 내키지 않는다. 아직 살아 있는 것 같은 느낌이 들어서.

그로부터 며칠 후, 매화가 진 것과 때를 같이해 마메코 씨가 세상을 떠났다. 마메코 씨는 매년 벚꽃 보는 걸 기대했기 때문에, 벚꽃이 피면 병원에 가져가고 싶다고 사치코 씨와 이야기했었는데, 그러지 못했다.

그러나 역시 벚꽃은 아름답다는 생각만 하며 본 작년의 벚꽃이 마지막이었던 것은 다행일지도 모른다.

아니면, 작년에도 이게 마지막일지도 모른다고 생각하고 봤을까?

유타로부터 장례식을 알리는 문자가 와서 몇 사람에게 연락했다. 가깝게 지냈던 손님과 직원, 전 직원에게도.

일찍 문을 닫고 몇몇이 함께 장례식장으로 향했다. 접수대에서 유타가 흑당 스틱 도넛을 나눠주고 있었다. 구마모토 명물로 인기 있는 과자다. 유타는 흑당을 사용한 과자를 그다지 좋아하지 않으니, 마메코 씨가 좋아했을 것이다. 투명 비닐봉투에 들어 있는데, 쿠마몬과 신칸센과 고양이…… 볼록한 스티커가 잔뜩 붙어 있었다. 마메코 씨가 남긴 스티커임에 틀림없다. 유타다운 일을 하네, 라는 생각이 들며 조금 마음이 놓였다.

탓키는 반다나를 하지 않았다. 반다나를 풀어버린 부분을 처음 봤다. 장례식장에는 마메코 씨가 그린 그림이 전시되어 있었다. 유화일까, 역시 꽃 그림이 많다. 마메코 씨가 사진으로 보여준 적은 있지만 실물은 처음 봤다. 사진도 전시되어 있다. 생글생글 웃는 마메코 씨가 있다.

오사카에서 급히 달려온 유타의 누나를 보고 모두 마메코 씨를 떠올렸다. 울어서 눈이 퉁퉁 부은 얼굴로, 그래도 웃으며 인사해주었다. 웃는 게 마메코 씨를 쏙 빼닮았다.

쓰야(通夜, 유족을 위로하며 밤을 새는 것—옮긴이)가 끝나고, 유타가 차라도 마시고 있으라고 해서 서점 손님들과 모여 앉았다. 쓸쓸하네. 누구라고 할 것도 없이 중얼거렸다.

문득, 나는 서점에서 모두와 만나고 있지만 꽤 오랜만에 만난 사람들도 있을 거라는 생각이 들었다. 직원이었던 마유미 짱은 요즘 좀 뜸했던 터라 처음 만나는 사람도 있는 것 같았다. 장례식인데, 어쩐지 서점의 동창회 같다. 서점 이외의 장소에서 이 멤버가 모이는 일은 좀처럼 없다.

유타의 친구 갓 짱이 왔길래 인사를 하자, 쓰야에는 어울리지 않는 귀여운 손수건으로 눈물을 닦고 있었다. 마메코 씨에게 받은 손수건이라고 한다. 마메코 씨가 구마모토로 이사 왔을 때 "앞으로 잘 부탁해"라며 주었다고 한다. 찾아서 갖고 왔구나, 라고 생각하고 있는데, 편지도 있었다며 옷 주머니에서 마메코 씨의 편지를 꺼냈다. 갓 짱도 장례 예복이 어울리는 어른이 됐구나, 곰곰이 생각하고 있던 참이었는데, 옛날에 엉엉 울면서 서점에 들어왔을 때가 떠올랐다. 편지를 펼쳐서 보여주길래 유타와 들여다보니, 의외로 스티커가 많이 붙어 있지 않았다. 스티커가 적네, 하고 유타와 함께 웃었다.

고죠도 일이 끝난 뒤 어머니와 함께 향을 피우고 갔다고 한다. 그들이 가족끼리 교류할 수 있었던 것도 커밍아웃을 했기 때문이란 생각이 들었다. 유타가 마메코 씨에게 털어놓았을 때, 마메코 씨는 "눈치 채지 못해서 미안해"라고 말하며 울었다고 한다.

다음 날, 발인에도 참석했다. 출관 준비를 하고 있을 때였을까, 탓키가 "나도 금방 따라갈 테니까. 금방이라고 하면 너무 빠른가" 하고 언제나처럼 웃는 얼굴로 마메코 씨에게 말하고 있었다.

스틱 도넛의 스티커는, 누나와 함께 부지런히 붙인 것 같은데, 그래도 "아직 많이 남았어"라고 유타가 나중에 말했다.

악수

세키 씨를 처음 만난 건 2016년의 일이다. 세키 씨는 열다섯 살에 국립요양소 기쿠치케이후엔菊池惠楓園에 강제 수용된 한센병 환자다.

언젠가 같이 《아르텔》을 만들고 있는 나미토코 게이코 씨가 읽어보라며 세키 씨의 책을 빌려주었다. 글을 받아두었는데 《아르텔》에 게재하고 싶다고도 했다. 나미토코 씨는 이전부터 취재차 기쿠치케이후엔에 오가고 있어서 세키 씨와 친했다. 세키 씨의 책을 읽은 후에 나미토코 씨와 함께 다음 호 《아르텔》에 실을 글을 부탁하러 갔다.

나미토코 씨가 빌려준 책의 제목은『고향은 가까이에 故郷は近くにて』. 세키 씨의 고향은, 가깝지만 멀다. 서두의「고백」이라는 장에 이런 글이 있었다.

> 고향은 멀고, 어린 시절의 모든 생각을 잘라내고, 목소리를 내지 못하는 형제들의 외침을 가슴으로 느끼고, 남동생이 먹어야 할 엄마의 젖도 멈춰, 얼굴이 마주치면 눈물이 말라 피눈물이 나올 정도로 울며 밤을 지새우고, 아버지의 설득에 억지로 불운하다고 체념하고, 부모 품을 떠나, 여기가 안주의 땅이라고 생각하게 되기까지 몇 년이 걸렸나.

이 몇 줄에 세키 씨 인생에 차고 넘치는 고통과 슬픔이 응축되어 있다. 세키 씨뿐만이 아니다. 많은 한센병자의, 라고도 말할 수 있을 것이다. 책을 읽는 동안, 이 글이 계속 머릿속에서 떠나지 않았다. 그렇다고 해도 세키 씨는 매력적인 사람이라서 글에도 그 매력이 드러난다. 근저에 있는 이 슬픔은 늘 보였다 사라졌다 하지만, 때로는 유머가 불쑥 얼굴을 내민다. 바로 얼마 전, 이 책을 다시 읽었다. 이제 얼굴을 알고 있으니까, 세키 씨의 수줍어하는 듯한 미소가 가끔 머릿속을 스쳤다. 그리고 손에 꼽을 정도밖에 만나러 가지 못한 것에 사과하고 싶은 기분이 든다.

다시 케이후엔에 갔던 건 《아르텔》 3호가 나오고 얼마 지나지 않아서다. 세키 씨가 복권 당첨 번호를 확인하고 싶다고 해요, 라고 나미토코 씨로부터 연락이 왔다. 그래서 다시 나미토코 씨와 세키 씨를 만나러 갔다.

세키 씨의 글이 실린 《아르텔》을 나미토코 씨를 통해 전했을 때, 원고료 대신 복권 한 장을 같이 보냈다. 왜 복권인가 하면, 세키 씨가 원고료를 고사했기 때문이다. 어떻게 하면 좋을지 나미토코 씨에게 물어보니, 세키 씨는 복권 사는 걸 좋아하니 복권을 사드리자고 했다. 잡지와 복권을 받았을 때 세키 씨는, 당첨되면 셋이서 나누자며 기뻐했다고 한다. 당신들과 같이 당첨 번호를 확인할 거니까, 라며.

지난번에는 휴게실에서 면회를 했었는데, 이번에는 방으로 안내받아 배우자인 기요코 씨도 만날 수 있었다. 다 함께 세키 씨가 오려낸 당첨 번호 부분을 들여다보며 숫자를 확인했지만, 아쉽게도 하나도 맞지 않았다.

차를 마시고 있으니, 이거 맛있으니까 먹어보라고 과자를 몇 번이나 권하셨다. 기요코가 요즘 좋아하는 과자라 언제나 사놓고 있어, 라고 세키 씨가 말씀하셨다.

돌아올 때는, 냉동된 은행을 선물로 주셨다. 그리고 기요코 씨가 만든 은행밥이 맛있다고 자랑하셨다. 얼린 것보다 얼리지 않은 걸로 만드는 게 맛있으니 가을이 되면 은행밥을 먹으러 오라고 해서, 가을에 또 오겠다고 약속하고 다음 호의 원고를 받아 돌아왔다.

그러나 약속은 이루어지지 않았다. 기요코 씨는 건강이 나빠져 은행밥을 짓지 못했고, 나는 일에 쫓겨 찾아가지 않았다. 부르지 않았어도 갔으면 좋았을 텐데.

세키 씨는 서점에 딱 한 번 오셨다. 은행밥 약속을 한 다음인지 먼저였는지는 기억나지 않는다. 요양원의 직원이 따라와주셔서 커피를 마시러 오셨다. 선물로 카스텔라를 주시며 한번 와보고 싶었다고 말씀하셨다. 마침 그 전날에 『고향은 가까이에』를 젊은이가 사갔다고 알려드리자, 부끄러운 듯한 미소를 보여주었다. 오래 계시지는 않았지만, 뜻밖의 일이라 기뻤다.

마지막으로 뵌 것은 기요코 씨가 돌아가셨을 때다. 벚꽃의 계절이었다. 정기 휴일에 어딘가 근처로 벚꽃을 보러 가자는 선약이 있었지만, 아침부터 나미토코 씨가 연락을 해서 케이후엔 근처에 있는 기쿠치공원의 벚꽃을 보고 그대로 쓰야에 가기로 했다.

케이후엔에 도착해, 차에서 기다려도 되는데 어떻게 할래, 라고 동행에게 물으니 같이 가겠다고 했다. 나미토코 씨도 합류해 케이후엔에 준비된 장례식장으로 들어가자, 바쁠텐데 뭐 하러 왔냐며 세키 씨가 연신 말씀하셨다. 일면식도 없는 분까지 오시게 하고 면목 없네, 라고 몸 둘 바를 몰라하셨다. 하지만 우리는 가고 싶었기 때문에 간 거였다. 돌아갈 때, 세키 씨는 걱정스러운 듯, 내일 발인에는 오지 않아도 되니까, 라고 몇 번이나 다짐을 받으셨다.

돌아오는 길, 케이후엔에 벚꽃이 흐드러지게 피어 있었다. 앞서 가던 나미토코 씨의 차가 갑자기 멈췄다. 무슨 일이 있나 싶어 우리도 차를 세웠다. 무슨 일이냐고 차에서 내려 물어보니, 벚꽃을 볼까 해서, 라고 했다. 올해는 아직 벚꽃을 제대로 보지 못한 것 같아서, 라며. 나도 그랬다. 그날, 비로소 느긋하게 벚꽃을 봤다. 세키 씨 부부 덕분에 케이후엔의 벚꽃을 볼 수 있었다. 차가 거의 다니지 않는 케이후엔 내의 도로에서 나미토코 씨와 만개한 벚꽃을 올려다보았다.

푸른 하늘에 벚꽃이 빛나는, 좋은 날씨였다.

그로부터 1년도 지나지 않은 매화의 계절에 세키 씨가 돌아가셨다.

『고향은 가까이에』에서 세키 씨는 "영감님"이라고 불렀던 요양원의 노인에게 사람 사귀는 법을 배웠다고 했다. 그 영감님의 말로 "명심해. '태어났을 때도 혼자, 죽을 때도 혼자'라고 옛날 사람들은 말한다"고 썼다.

세키 씨는 기요코 씨를 혼자 두지 않았다. 마지막까지 지켜본 후, 혼자 떠날 수 있었다.

2019년 1월 20일, 세키 씨가 돌아가셨습니다, 라고 나미토코 씨한테 문자가 왔다. 왠지 슬퍼서 어찌 할 바를 모르겠어요, 라고 적혀 있었다. 다음 날 장례식에 같이 가기로 했다.

장례식장으로 가는 도중에 세키 씨에게 드릴 꽃을 한 송이씩 샀다.

요양원 입소자의 장례에 유족이 오는 건 드물다고 한다. 그러나 그날은 세키 씨의 조카딸들이 와 있었다. 그녀들이 여기 있는 모습이 세키 씨에게 보였으면 좋겠다고 생각했다. 분명히 기뻐했을 거란 생각이 들었다.

부모님의 임종을 지키지도 못하고, 형제들을 만날 수조차 없었던 세키 씨에게 유일하게 왕래가 끊이지 않았던 혈육이 누나의 가족이다. 위독한 상태의 매형을 보러 간 날에 대해 쓴 글에 조카딸들이 나온다. "매형의 머리맡에서 요양보호사를 하고 있는 두 명의 다 큰 조카딸도 만났습니다"라고 했다. 그때 조카딸들은 세키 씨에게 "외삼촌 일은 알고 있으니까, 걱정하지 않아도 되어요"라고 말했다고 한다. 조카들의 말을 들은 세키 씨는, 순간 가슴이 심하게 고동쳐서 놀란 나머지 몸이 떨렸다고 한다.

세키 씨에게 한 핏줄이라는 걸 긍정 받는다는 것이 얼마나 가슴을 흔드는 일이었을지 상상하기 어렵다. 하물며 살결의 온기에는 더 갈망하는 마음이 있었을 것이다.

아버지의 첫 칠일재(사람이 죽은 지 7일이 되는 날 부처 앞에 드리는 불공—옮긴이) 전날, 누나가 갑자기 찾아와서 "케이야"라고 부르자마자 거칠어지는 목소리를 죽이며 울었다고 한다. 세키 씨는 아버지가 돌아가신 것을 알지 못했고, 누나는 그 소식을 전하러 온 것이다. "여기에 온 뒤로 누나와 살을 맞댄 적이 없다"라고 세키 씨는 썼다. "여기"라는 건 요양원을 가리킨다. 그 누나가 그의 가슴에 안겨 울고 있었다. "자그마한 누나, 가녀린 어깨, 눈물과 목이 메는 숨의 감촉에, 지금까지 느껴본 적 없는 누나의 온기를 알았다"라고도 썼다.

처음 세키 씨를 만난 날, 헤어질 때 악수를 하자며 손을 내밀었다. 세키 씨는 수줍은 듯한 미소를 띠며 악수했다. "그럼, 나도"라고 나미토코 씨도 손을 내밀었다. 이때의 웃는 낯이, 세키 씨가 내게 보여준 웃는 얼굴 중에 제일 기뻐 보였다. 요양원 밖에서 온 사람과 살을 맞댄다는 것은 특별한 일임에 틀림없다. 세키 씨에게 요양원의 높은 담장은 사라졌던 적이 없었을 것이다.

한센병을 앓은 사람들의 상당수, 특히 요양원에서 생활하는 사람들은 가명을 사용한다고 한다.

나는 세키 씨의 본명을 모른다.

야호

근처에 살면서, 이따금 얼굴을 내미는 손님이 있다. 나보다 약간 나이가 많은 미치코 씨다. 눈이 동글동글하니 사랑스럽고, 웃으면 입가뿐만 아니라 눈가에서부터 정말 즐거운 듯한 얼굴이 된다.

불쑥 들르는 건, 대체로 장을 보러 가는 도중이다. 근처 채소가게에도 가끔 가는데, 미치코 씨가 자전거를 두고 간 것 같다며 채소가게에서 연락이 왔던 적이 있다. 연락처를 모르니 물어봐달라고 했다. 미치코 씨에게 전화해 물어보니, 오늘은 걸어갔다고 자신 있게 말하신다. 그러나 얼마 후 겸연쩍은 미소를 지으며 오셨다. 연락을 받고 불안해져서 확인해 보니 자전거가 없었던 모양이다. 창피하니까 남편한테 편의점 좀 갔다 오라고 하고 찾으러 왔다고 한다. 또 재미있는 일화를 하나 더해주셨다.

오늘도 문틈으로 살며시 얼굴을 내밀고, 먼저 인사용 웃는 얼굴을 보여주고 안으로 들어오셨다. 어제 세제 사는 걸 잊어버려서. 우리는 세제도 팔고 있다. 어제도 왔고, 오늘도 불쑥 들릴 정도로 가까운 이웃이다. 미치코 씨의 집이 어디쯤인지 정확히는 모르지만, 원래 가까웠는데 서점을 이전한 뒤로 더 가까워진 것 같다.

서점에 오려고 오는 손님도, 여행 중에 들리는 손님도 기쁘지만 근처에 사는 사람이 불쑥 와준다는 건 또 다른 기쁨이 있다. 안도감이라고 말할 수 있을지도 모르겠다. 다 떨어진 세제를 사러 오거나, 짬날 때 책을 고르러 오거나, 혹은 한마디 전하고 싶은 게 있을 뿐이거나.

있잖아, 잠깐 할 말이 있어.

미치코 씨가 이렇게 말하며 들어와, 그대로 자리에 앉지도 않은 채 긴 이야기가 된 적도 있다.

미치코 씨가 서점에 오기 시작했던 무렵, 구마모토 출신이지만 쭉 구마모토 바깥에서 살다가 최근에 돌아왔다고 가르쳐주셨다. 그러니까 재미있는 데가 있으면 알려줘, 라고 하셨다. 그 뒤로는 장을 보러 가는 도중이나 병원에 다녀오는 길에 들르셨다. 한잔 마시고 갈까, 하며 카운터석에서 잠깐 이야기를 하고 간 적도 있다.

겉보기에 무척 고상해 보여서 깜박 속지만, 음담패설도 아무렇지 않게 하니까 재미있다. 이미지 때문일까, 혹은 말투 때문일까, 무슨 말을 해도 전혀 불쾌한 느낌은 없고 떠들썩해질 뿐이다. 미치코 씨는 이전에 말하는 일을 했기 때문에 말투가 무척 우아하고, 발음도 정확하다. 오늘도 나한테 바짝 붙어서 보여요, 라고 좋은 목소리로 말하셨다. 뭐가 보이냐고 묻자 가슴골이라고 말하며 호호호 하고 웃는다. 만약을 위해 말하는데, 내 가슴은 작은 편이라 가슴골이라고 할 만한 게 없다. 전혀 없으니까 싫지 않죠, 라고 자학하는 농담으로 반응하니, 지금은 회사를 그만뒀으니까 괜찮지만 직장에서 이런 농담하면 성희롱이겠지, 라고 말하며 웃는다. 성희롱은커녕 회사에 이런 선배가 있다면, 아마도 즐거울 거다. 미치코 씨는 음담패설뿐 아니라 칭찬을 아주 잘한다. 히사코 씨의 글 정말 좋아 등을 말해준다. 칭찬으로 죽일 셈인가 싶을 정도로 칭찬한다. 회사에 있었으면, 분명히 후배도 능숙하게 칭찬하며 성장시켰을 것이다.

이웃의 얼굴이 보인다는 게 그 무엇보다 기쁘고 든든하다고 느꼈던 건, 지진이 일어났을 때였다. 아는 얼굴이 보여서 안녕하세요, 하고 인사를 나눈다. 여진이 오면 괜찮느냐고 말을 건다. 그런 사소한 걸로 요동치는 마음이 가라앉는다. 무서워, 무서웠어. 혼자 그렇게 생각하기보다 누군가와 말을 하면 공포가 조금 희미해진다.

미치코 씨도 지진이 나고 며칠 후 서점에 들러주셨다. 조심스레 안을 들여다보면서 괜찮냐고 걱정해주셨다. 어쩌고 있을까 싶어서 와봤다고 하셨다. 한바탕 근황을 나눈 뒤 미치코 씨가 갑자기 수수께끼 같은 말을 했다.

"지진 재해 노브라 야호다."

"그게 무슨 말이에요?"

"비밀인데, 지진이라 브래지어 안 했어. 하기 어렵지 않아?"

"저는 했어요. 덤벙거려서 안 하면 속이 보일지도 모르니까요."

그다음에는 둘이서 지진 재해 노브라 야호를 연발하는 통에 웃음이 그치지 않았다. 아마 지진 때문에 약간 흥분했던 것 같다.

지진이 나면, 말도 못할 만큼 우울해져 안에 틀어박히는 사람과 움직이지 않으면 진정이 되지 않아 쉴 새 없이 움직이는 사이에 텐션이 높아지는 사람이 있다. 나는 틀림없는 후자로 아무것도 하지 않는 게 불안했다. 어느 쪽이든 평상심이 아닌 것에는 변함없다.

그래서 미치코 씨의 이 재치 있는 말에 크나큰 도움을 받았다. 굳어 있던 몸이 스르르 풀어지는 것 같았다. 그러고 나서 한동안 우리들의 암호는 '지진 재해 노브라 야호'였다. 나한테는 브래지어가 필수라 야호는 할 수 없었지만.

매년 5월, 구마모토에서는 '구마모토 책'이라는 행사가 열린다. 강연회와 한 상자 헌책 시장 등 각 행사장에서 가지각색 행사가 열리는데, 올해는 우리 서점에서 '깜짝 낭독회'를 개최했다. 정오부터 저녁 다섯 시까지 서점 한가운데에 설치한 마이크 앞에서 읽고 싶은 손님이 마음대로 낭독하는 행사다. 그 사이에도 서점은 통상 영업을 한다. 세세한 건 아무것도 정하지 않고, 신청도 받지 않아서 막상 낭독회가 열리면 아무도 읽지 않을 가능성도 있었지만, 기쁘게도 서점에 온 대부분의 손님이 낭독을 했다.

잘하는 사람도 있는가 하면, 오늘이 첫 낭독이라고 하는 사람도 있다. 시에 민화에 소설에 그림책 등 다양한 책의 한 구절이 여러 음색으로 읽히는 걸 듣는 건 꽤 즐거웠다. 아이가 책을 읽어달라고 하는 기분을 조금 알 것 같았다.

낭독을 잘하는 걸 알고 있어서 미치코 씨에게도 읽으러 와달라고 부탁했다. 그러자 행사 며칠 전에 히사코 씨, 같이 읽어주지 않을래, 라고 하셨다. 어떤 걸 같이 읽냐고 물어보자 미야자와 겐지의 「봄과 아수라」를 읽을 거니까 괄호 부분을 읽으라며 복사한 걸 건네셨다(미야자와 겐지가 생전에 출판한 유일한 시집 『봄과 아수라』(인다, 2022)의 표제 시로 시 자체에 괄호로 묶인 부분이 있다—옮긴이). 메이크 러브합시다, 라고 빙긋 웃으니 거절할 수 없었다.

행사 당일, 문을 열자마자 하나둘 손님이 들어왔지만 첫 번째로 한다는 게 긴장되는지 좀처럼 아무도 마이크 앞에 서지 않아서 내가 총대를 메고 짧은 시를 읽었다. 그러자 분위기가 좀 풀렸는지, 낭독하는 사람이 하나둘씩 나타났다. 손님들은 점점 이 상황에 익숙해져 낭독이 없는 사이에 책을 읽거나 잡담을 하며 자유롭게 있다가 누군가의 낭독이 시작되면 자연스럽게 귀를 기울였다.

3시가 넘어서였을까? 약속대로 미치코 씨가 와서 먼저 와인을 한잔 마시고 이시무레 미치코 씨의 『꽃을 바치다花を奉る』를 읽어주셨다. 그리고 함께 읽어보자고 하셔서 어깨를 맞대고 「봄과 아수라」를 읽었다. 미치코 씨는 훌륭한 발음으로 감탄할 만한 낭독이었지만, 나는 짧은 부분임에도 버벅거리고 말았다. 하지만 즐거운 '메이크 러브'였다.

그 뒤로 몇 명이 낭독을 한 뒤, 미치코 씨가 누군가 「난데모오만코なんでもおまんこ」를 읽으면 좋은데, 라고 말을 꺼냈다(오만코おまんこ는 '보지', 즉 '음부'를 뜻하는 비속어다—옮긴이). 『밤의 미키 마우스夜のミッキー·マウス』라는 다니카와 슌타로 씨의 시집에 들어 있는 시다. 여하튼, 서점 안에는 다니카와 씨의 친필 「난데모오만코」의 한 구절이 있다. 다른 사람들도 끼어들어 역시 남자가 읽는 게 좋다는 등 말을 섞었다. 이제 끝날 시간이고 남자는 둘밖에 남지 않았는데, 한 명은 막 대학생이 된 젊은이라 역시나 모두 손사래를 치고, 요스

케 군 읽어봐, 라고 해 남은 한 사람이 희생양이 되었다.

"난데모오만코난다요(뭐든지 보지야)"라고 시작하는 시라서 싫어하지 않을까 했지만, 어쩔 수 없네…… 라는 느낌으로 일어나 의외로 술술 읽었다.

미치코 씨는 다시 한번 다니카와 슌타로 씨의 시를 다 함께 한 줄씩 읽어보자고 했다.「살아간다生きる」가 좋지 않아? 읽고 싶은 사람 손 들어봐요. 스마트폰으로 전문 볼 수 있으니까 다 같이 스마트폰 화면에 띄웁시다. 학교 선생님처럼 척척 모두를 이끌어 낭독을 끝내고, 한층 더 분위기를 띄웠다.

그러다가 끝나기 15분 전에 요시모토 유미 씨가 와서 저서를 읽어주셨다. 요시모토 씨는 자신의 행사 등에서도 낭독을 한 적이 없어서 놀랍게도 인생 최초의 낭독이라고 했다. 잡지에 연재하고 있다는 이야기를 두 편 읽어주셨다. 어른의 이야기와 어린이의 이야기. 약간 마음 깊은 곳이 출렁거리고, 애달프지만 어딘가 달콤한 이야기.

처음이라고는 생각하기 어려운, 안정적이고 차분했던 낭독이 끝나고, 마침내 그날의 낭독회는 막을 내렸다. 이제 하지夏至도 가까워져서 해가 길다. 일요일의 황혼 무렵, 목소리의 여운을 안고 삼삼오오 돌아갔다.

낭독회 다음 날, 미치코 씨가 와서 요스케 군의 「난데모오만코」 의외로 잘하고 섹시했지, 라며 매력적으로 웃었다.

유희와 아사히

유희와 아사히는 치바 짱의 아이들이다. '유히'는 夕日이 아니라 優日라고 쓴다. 둘째도 아들인 걸 알았을 때 모두 이름은 역시 '아사히'일까 하며 농담처럼 말했는데, 진짜 '아사히'라고 지었다. 이쪽도 朝日가 아니라 朝陽라고 쓴다. 유히와 아사히, 이렇게 소개하면 아사히가 형이라고 생각하는 사람도 많은지 자주 잘못 부른다고 한다(유히夕日는 석양, 아사히朝日는 아침 해를 뜻한다—옮긴이). 하지만 유히는 다정하고 아사히는 쾌활하니까 둘 다 알고 있는 나한테는 딱 들어맞는 이름이다.

둘 다 아직 세상에 태어나지 않았을 때부터 서점에 왔다. 크면, 친척 아줌마처럼, 너희들이 태어나기 전부터 알고 있었다고 말해야지 하고 생각했다.

유히는 배 속에 있을 때 서점에서 열린 라이브에 온 적이 있다. 라이브는 출산 예정일보다 뒤였지만, 가까워져도 유히는 세상에 나올 기미가 없었다. 치바 짱은 출산을 위해 고향인 구마모토에 와 있었고, 걷는 게 좋다고 하니까 하며 매일같이 서점에 왔다. 이대로 라이브에도 오는 거 아니냐고 다 함께 반쯤 농담을 했는데, 라이브 당일에도 역시 태어나지 않았다. 그래서 음악을 들으면 뭔가 세상은 즐거워 보인다며 나오려고 할지도 몰라, 라고 말하니 치바 짱이 정말 라이브를 보러 왔다. 라이브 덕분인지 아닌지는 유히에게 물어봐도 기억하지 못하겠지만, 며칠 후 무사히 태어났다. 이날까지 태어나지 않으면 진통촉진제를 맞아야 한다고 병원에서 말한 날 아침에 태어났다고 한다.

아사히가 배 속에 있을 때는 언제나처럼 액세서리 전시를 했다. 그즈음에는 서점을 지금 자리로 이전하기 전이라 갤러리가 2층에 있었다. 부른 배를 감싼 채 좁고 가파른 계단을 올라가야 해서 손님들이 모두 걱정하며 꽤 신경을 썼다. 유히도 열심히 설치와 철거를 도왔다. 넘어지는 일 없이 전시를 끝내 아사히도 무사히 태어났다.

유히와 아사히는 구마모토에 살지 않지만 1년에 두 번은 반드시 구마모토에 오고, 비교적 길게 머물러서 다른 손님과도 다 아는 사이다. "아사히는 개구쟁이에 아직 고삐 풀린 망아지 같으니까"라며 서점에 잘 데려오지는 않지만, 형인 유히는 벌써 초등학교 고학년으로 버스를 타고 혼자 올 정도였다. 그러니까 유히는 제일 어린 단골손님이라고 해도 좋을 것이다.

아빠도 엄마도 책을 많이 읽으니까 어릴 때부터 그림책을 무척 좋아했다. 치바 짱은 액세서리 전시도 겸해서 구마모토에 오기 때문에, 전시로 인한 부재의 보상으로 언제나 두 아이에게 책을 사준다. 아사히의 책은 아직 치바 짱이 고를 때가 많지만, 유히는 반드시 직접 고른다. 생각보다 어릴 때부터 그랬다. 어린이 책을 진열한 서가 앞에 앉아서 찬찬히 훑어본다. 언제나 진지하게 고르고 있다.

유히가 초등학생이 되기 전, 서점에서 책을 고르는 데 꽤 시간이 걸린 적이 있다. 아직 이사하기 전으로, 서점과 카페가 분리되어 있을 때의 일이다. 좋아하는 책을 한 권 사

주겠다는 이야기를 듣고는 서가 앞에 앉아서 혼자, 계속 그림책을 읽고 있었다. 서가에서 한 권씩 꺼내 천천히 책장을 넘겼다. 아마, 그렇게 그림책을 전부 읽은 듯했다. 그동안 치바 짱은 카운터석에 앉아 차를 마시며 이야기를 나누는 데 빠져 있었다. 슬슬 돌아갈 준비를 시작한 치바 짱이 기다리지 못하고 정했어? 골랐어? 하고 물어보자 유히는 곤란하다는 얼굴을 한 채 고를 수 없다고 했다. 마지막으로 들고 있던 그림책은, 지금은 제목이 기억나지 않지만 확실히 양면의 절반은 글자로 가득했고, 심지어 죽음을 모티프로 한 책이었다. 이것도 읽었냐고 묻자 자기한테는 조금 어렵다고 신중하게 대답했다. 자그마한 몸으로 많은 생각을 했을 것이다. 의문과 불안과 알고 싶다는 마음이 뒤섞인 듯한 얼굴을 하고 있었다.

안 사도 괜찮냐고 재차 물어봐도, 고를 수 없다고 말해 결국 아무것도 사지 않고 돌아갔지만, 집에 도착한 뒤 전화를 해 왔다. 유히가 사고 싶은 책을 정해서 다음에 살 테니 따로 보관해주면 좋겠다는 전화였다. 물론 마지막에 읽고 있던 책은 아니었다. 하지만 사지 않은 책도 유히에게 뭔가 흔적을 남겼음에 틀림없다.

초등학교 4학년 여름방학에 유희는 처음으로 혼자 서점에 왔다. 그때까지는 치바 짱과 같이 오거나 할아버지가 차로 데려다주었다. 왜 혼자 오게 됐느냐 하면 '지우개 도장 교실'에 다니게 되었기 때문이다. 유희는 서점에 오는 어른들과 꽤 안면이 있는데, 그중에서도 어린이집 교사인 요스케와는 아예 친구였다. 요스케는 지우개 도장을 잘 만드는데, 그걸 본 유희가 완전히 감탄해서 자기도 해보고 싶다고 말했기 때문이다. 치바 짱은 갤러리에서 액세서리 전시 중이어서 문 여는 시간에 맞춰 먼저 서점에 와 있었다. 같이 돌아가면 되니까 혼자 오라는 말을 들은 유희는 버스를 타고 나중에 왔다.

퇴근한 요스케와 만난 유희는 약간 긴장한 얼굴로 서점에 들어왔다. 엄마가 먼저 와 있다고는 하지만, 카페에 혼자 오는 등 초등학생 시절의 나는 경험하지 못한 일이었다. 오히려 어른과 함께라도 카페에 간다는 데 약간 긴장했던 것 같다.

처음에는 주변에서 "뭘 새기니?"라든가 "잘하잖아"라며 칭찬했는데, 유희가 너무나 진지한 얼굴로 쉬지도 않고 지우개를 조각해서 방해하고 싶지 않았는지, 점차 주위도 조용해졌다. 지우개 하나 새김이 끝나면 유희가 기쁜 얼굴로 보여주러 왔다. 갤러리에 들고 가서 치바 짱에게도 보여주었다. 그러고 나서 요스케로부터 다시 다음 과제를 받아 새기기 시작했다. 어느새 요스케는 유희의 '스승님'이 되어 있었다. 요스케도 같이 지우개 도장을 만들었지만, 능숙한 터라 틈틈이 다른 손님과 잡담을 하거나 담배를 피웠다. 하지만 유희는 애면글면 몇 시간이고 말없이 도장을 만들었다.

유희는 책 읽는 걸 좋아하니까 이야기를 만들고 지우개 도장으로 그림을 그려서 그림책을 만들면 어때? 여름방학 숙제로 해버려. 어른들이 부추기자, 본인도 아주 생각이 없는 건 아닌 것 같았다. 바로 요스케가 제본 방법 등을 알려주었다. 귀가 시간이 되자 청소를 제대로 하고 가자고 스승이 말해 청소기까지 깔끔하게 돌리더니 고맙습니다, 하고 만족스럽게 돌아갔다.

여름방학 중에 몇 차례 도장 교실을 했지만, 마지막 날은 약간 조언만 받는 정도로 오롯이 혼자서 새길 수 있게 되었다. 이미 제자가 스승을 앞질렀는지도 모르겠네, 라고 모두 칭찬하자 유희는 조금 부끄러운 듯이 웃었다. 그림책 내용에 대한 상담도 했는지, 여름방학 중에 그림책을 완성하겠다고 스승과 굳게 약속을 주고받았다.

마지막 도장 교실 날, 문을 닫기 직전까지 있던 치바 짱과 유히는 여느 때처럼 쓸쓸해했다. 구마모토에서 집으로 돌아가야 할 때가 되면 언제나 쓸쓸해한다. 하지만 유히는 문 앞에서 휙 돌아보더니, 보통은 비교적 소곤소곤 말하는데, 큰 목소리로 "스승님, 고맙습니다"라고 말하고 돌아갔다. 둘 다 약간 울 것 같은 얼굴을 하고 있었다.

유히는 여름이 끝나자 약속대로 그림책을 만들어 보냈다. 받는 사람은 '히사코 씨'와 '스승님'이라고 되어 있었다. 장소를 빌려주셔서 감사했습니다, 라고 나에게도 의리 있게 감사 인사를 했다. 그림책은, 입에 발린 말이 아니라, 정말로 잘 만들어서 유히를 아는 손님들에게 보여주니 모두 놀라워했다.

〈FD의 모험〉이라는 제목으로 자동차가 평화롭게 지내는 마을의 이야기다. 유히는 어릴 땐 전차電車를 좋아했지만 최근에는 자동차에 푹 빠져 있는데, FD는 제일 좋아하는 자동차의 이름인 듯하다. 갱단에게 습격당한 이웃 마을을 도와주러 간 FD와 도중에 만난 동료 자동차들이 작전을 짜서 갱단을 무너뜨린다는 스토리다. 자동차는 당연히 멋지게 새

졌고 사각과 삼각 도장을 겹겹이 찍어서 그린 길의 풍경이 꽤 볼 만하다. 갱단을 무너뜨리는 데서 끝나는 게 아니고, 반성한 갱단의 보스를 떨어뜨린 구덩이에서 꺼내 화해하고 함께 마을을 재건하고 끝난다. 다정한 유히다운 결말이었다.

유히가 다정하다고 생각하는 건 자주 있는 일이지만, 그중에서도 인상적이었던 게 있다. 유히가 돈을 주려고 했던 일이다.

그날, 유히는 삼촌이 보고 싶어서 전자제품 대리점에 들렀다가 왔다. 치바 짱의 남동생 신야 군은 근처 전자제품 대리점에서 일하고 있다. 서점에 들어오자마자 카운터에 있는 나한테 와서, 삼촌한테 용돈을 받았으니까 그걸 다이다이 서점에 기부할게, 라며 천 엔짜리 한 장을 내밀었다. 저 혼자 생각한 것 같은 게 치바 짱도 "유히, 그래도 괜찮아?" 하며 놀랐다. 구마모토 지진이 일어난 후의 일이다. 분명, 어른들의 기부 이야기를 엿어들었을 것이다. 지진으로 눈물샘이 헐거워져 있었기 때문에 그만 울어버릴 정도로 기뻤다. 물론 받을 수 없다고 거절했지만, 유히가 일부러 마음 써준 거니까, 하고 서점에서 그림책을 사주는 걸로 대신했다.

올해 골든위크(공휴일이 몰린 4월 말부터 5월 초까지 약

일주일간의 연휴 기간—옮긴이)는 열흘 연속으로 쉬는 사람이 많아서 귀성객이 설 연휴 때보다도 많았던 것 같다. 전 직원인 아키 짱 가족과 치바 짱 가족도 왔다. 치바 짱의 남편 다케 짱은 설 연휴가 아니면 구마모토에 온 적이 별로 없어서 봄의 구마모토를 마음껏 즐긴 것 같았다. 설 연휴에는 내가 쉬는 날도 있고, 다케 짱도 가족과 보내는 시간이 많아서 지금까지 인사 정도만 나눌 때가 많았다. 하지만 이번에는 느긋하게 서점에 왔다. 유히와 둘이서 테이블에 앉아 이야기하는 목소리에 귀를 기울여보니 말하는 게 똑 닮았다. 보지 않으면 누가 유히고 누가 다케 짱인지 바로 알아차리지 못할 정도로 닮았다. 둘 다 낮은 목소리로, 하지만 즐거운 듯 이야기하고 있다.

아키 짱의 아이인 히나 짱도 다 커서 제법 말을 잘했다. 카운터석 너머에서 여러 가지 질문을 한다. 아이들은 모두 카운터 안쪽을 궁금해한다.

모두 눈 깜짝할 새에 커서, 머지않아 부모를 따라 오지 않을지도 모른다. 하지만 그 시기를 지나서 더 크면 아이들끼리 찾아올지도 모른다. 친구나 연인을 데리고. 그때까지 서점을 계속할 수 있다면, 이지만.

치바 짱이 돌아가기 전날, 마지막으로 한번 더 들리겠다고 했는데, 좀처럼 오지 않았다. 결국 길이 막혀서 늦을지도 모르겠다는 문자가 왔지만, 늦어도 괜찮다고 답하고 기다렸다.

요스케의 사촌 부부도 귀성했다가 돌아가기 전에 서점에 들러주었다. 못 짱과 릿코 짱. 본가는 시내에서 조금 떨어져 있지만, 시간이 있을 때는 집으로 돌아가는 길에 들른다. 다 함께 이야기하다가, 치바 짱이 곧 올 거라는 이야기부터 지우개 도장 이야기로 번져 유히가 만든 그림책을 두 사람에게 보여주게 되었다. 몹시 칭찬하며 사고 싶다는 말까지 하고, 릿코 짱은 책으로 만들어 팔면 좋을 텐데라고도 했다. 유히가 들으면 무척 좋아하겠다는 생각을 하고 있는데, 마침 치바 짱 가족이 왔다. 그러자 못 짱이 "오오, 저자를 만났다"라고 말하더니 대뜸 유히에게 손을 내밀었다. 〈FD의 모험〉을 봤다고 귓속말을 하자 유히는 평소의 부끄러운 듯한 겸연쩍은 미소를 머금고 악수를 했다. 다케 짱도 치바 짱도 기뻐하는 듯했다. 유히는 웃는 모습도 다케 짱을 빼닮았다고 생각했다.

아사히가 모두 유히를 칭찬하는 걸 옆에서 보고 "나도

그림책 그려볼까" 하고 말해서 다 함께 웃었다.

다시 언제나처럼 작별 인사를 하고, 치바 짱은 나와 포옹을 나누고, 울 거 같으니까 여기서 그만이라고 말하며 계단을 내려갔다. 하지만 역시 바깥까지 따라가서 또 보자고 하며 배웅했다. 그런데 잠시 후에 왜인지 유히가 다시 계단을 올라왔다. 이어서 치바 짱도 올라와서 휴대폰이…… 라고 말했다. 찾아봐도 나오지 않아서 차로 돌아가니, 웬걸 휴대폰은 차 안에 있었다. 역시 부끄러워하면서, 하지만 덕분에 쓸쓸함이 조금 옅어진 듯, 치바 짱 가족은 우당탕 떠났다. 한결같은 치바 짱이었다.

변함없는 풍경

사카구치 교헤이가 시나몬롤을 가지고 왔다.

원고를 쓰러 오거나, 완성한 그림을 보여주러 오는 등 대개 잠깐이라도 얼굴을 내미는데 한동안 오지 않아서 슬슬 기분이 가라앉는 때인가 싶었는데 문자가 왔다. "어제부터 다시 몸이 편치 않아"라고 쓰여 있었다. 이어서 시나몬롤을 만들어보고 있다고 했다. 교헤이는 조울증을 앓고 있지만, 최근에는 심연으로 떨어지지 않으려고 자주 요리를 한다. 요리책까지 쓰고 있다.

음식에 대해 생각하는 건 중요하다. 학교나 일하러 가

는 것도, 사람과 만나는 것도, 밥을 먹는 것조차 귀찮아질 때가 누구나 있다. 하지만 편의점 도시락이든 뭐든 좋으니까 뭔가 먹고 싶은 게 있느냐고 스스로에게 물어본다. 그러면 조금 움직일 수 있을 것 같은 기분이 든다.

시나몬롤, 진짜 좋아한다고 답장하니 가지고 왔다. 갓 구운 하나가 종이 냅킨에 싸여 있다. 집이 가까우니까 금방 들고 왔다. 잠시나마 밖에 나와서 다행이지만, 역시 몸이 좋지 않은지 입구에서 건네주고 바로 돌아갔다. 카운터석의 손님과 반씩 나눠 먹은 시나몬롤은 많이 달지 않고 맛있었다.

나는 서점에서 선물 받은 것만 먹고 있다. 전 직원인 유키코 짱이 이렇게 선물을 많이 받는 사람은 본 적이 없다고 했을 정도다. 가게 등을 운영하는 사람은 간식 같은 것을 꽤 받는다. 하지만 그렇다고 해도 정말 많이 받는다는 말을 듣는다. 아마 1년간 300일 정도는 뭔가를 받고 있다.

처음 만난, 여행 중인 사람한테 받은 적도 있다. 이름도 모르는 여행자로부터 왜 그랬는지 효자손을 받은 적이 있다. 계속 계산대 아래에 두었는데 이사하면서 어디로 갔는지 알 수 없게 되었다. 네팔에서 온 귀여운 여자아이는 부적을 주었고, 한국에서 온 청년은 나가사키를 거쳐 와서 카스

텔라를 주었다. 요전에는 오카야마에서 왔다는 여자가 키비 당고를 두 개 줘서 무심결에 하나 대접할까 생각했다.

선물 받는 건, 먹을 것만이 아니다. 큰 물건도 있다. 청소기에 자전거에 기름 난로……. 자전거는 자기를 '오이라'(주로 남성이 쓰는 1인칭 대명사. '보쿠僕'나 '오레俺'보다 사용 빈도가 적다—옮긴이)라고 해서 모두 오이라라고 부르는 화가 이토 씨에게서 받았다. 노란색의 멋진 자전거다. 지난번에 "오이라에 대한 이야기 더 써줘"라고 했다.

이토 씨는 요즘 날씨가 좋으면 낚시를 하러 간다. "전갱이 가져오면 먹을 거야?"라고 물어보길래 "어떤 상태의 전갱이?"라고 되물었더니, 낚은 그대로의 전갱이를 가지고 온다고 답한다. 서점에서 손질하기에는 조금…… 이라고 주저하자, "어쩔 수 없군. 난반즈케(고기나 튀긴 생선에 파나 고추를 넣은 식초를 끼얹은 음식—옮긴이) 만들어줄게" 하고 정말 가져다주었다.

오늘도 선물이 많다. 만감晩柑과 김초밥과 아이스크림과 콩가루를 묻힌 견과류. 전부 단골손님이 주셨다. 만감은 무농약에 직접 재배한 거라 하나하나 크기도 색도 미묘하게 다르다. 같이 들어 있던 편지에는 소주를 섞어도 맛있습니다, 라고 쓰여 있다.

만감은 아마쿠사에서 오시는 손님이 재배하고 있다. 그녀는 서점에서 여는 강좌의 수강생이다. 버스로 두 시간 이상 걸려 오가는 게 큰일이라고 생각하고 있었는데, "돌아가는 버스에서 다이다이 서점에서 산 책을 읽었습니다. 버스는 '급행'이라 막힘없이 달리는데 문득 창밖을 보면 해 질 녘의 아리아케해가. 무척 행복한 하루를 보냈습니다"라고 쓰여 있어서 안심했다.

편지를 읽는 동안 해 질 녘의 아리아케해가 눈앞에 아른거렸다. 썰물이 진 해안에는 바람과 파도가 모래무늬를 만든다. 갯벌 아래로 해가 가라앉는 광경을 보면 언제나, 문득 어딘가로 데려가는 것 같은 기분이 든다. 어릴 때부터 헤아릴 수 없을 만큼 본 그 광경은 질리지 않는다. 그러고 보니 요즘에는 보지 못했네, 하고 파도에 이끌리는 것 같은 기분이 든다.

당장은 갈 수 없으니까, 해안에 부는 바람과 바다로 가라앉는 태양을 흠뻑 쬐며 자란 만감에 소주를 섞어서 마셨다.

강좌는 와타나베 교지 씨를 강사로 해서 반 년 동안 열었는데, 다양한 직업의 연령층도 저마다 다른 사람들이 모였다. 따로따로 있는 의자에, 따로따로지만 어딘가 닮은 사람들이 앉아 있었다. 강의는 언제나 두 시간 이상 했지만, 모두 꽤 진지하게 들었다.

수강생은 서점의 단골손님이 많았지만 모든 사람이 서로 아는 사이는 아니었고, 모든 사람이 매일 오는 것도 아니었다. 처음에는 다소 어색한 분위기였지만 마지막 강의가 끝날 무렵에는 꽤 스스럼없는 분위기가 되었다. 모두 슬슬 모여 잡담을 하거나 책을 보며 강의가 시작하기 전까지 차를 마신다. 자주 커다란 과자상자를 들고 오는 손님이 있어서, 모두에게 나눠주며 마음대로 간식이라고 하는 날도 있었다.

강의가 끝나면 모두 자발적으로 의자와 책상을 원래 자리로 정리해주었다. 정말 학교 같은 아련한 기분이 들었다. 끝나는 게 어쩐지 쓸쓸한 것 같기도 했다.

강의가 있는 날에 자주 간식을 가져오셨던 손님은 평소에도 작은 선물을 많이 하셨다. 택배로 보낸 적도 몇 번인가 있어서 과분하다고 말하면, 친척이라고 여기고 하고 싶은 대로 하게 해달라고 하셔서 지금은 순순히 받고 있다. 비밀 친척, 같다. "영원히 하지는 않을 거니까"라고 스마일 이모티콘을 붙인 문자가 왔다.

비밀 친척 손님이 받는 데도 재능이 필요한 거라고 말한 적이 있다. 특별한 재능이 없다고 생각하며 살아왔는데, 받는 재능이 있을 줄이야. 그러고 보면 서점을 시작하기 전부터 잘 받았던 것 같다. 친구네 집에 놀러 갔다 돌아오는 길에, 친구의 어머니가 가져가라며 미리 사두었던 요메이슈(養命酒, 자양강장제로 쓰이는 약주—옮긴이)를 주신 적이 있다. 허약 체질로 보여서 주셨던 걸까? 생각보다 잘 먹고 약간 무리할 따름인데.

생각해 보면, 받은 것 덕분에 서점을 계속할 수 있었다. 이전하며 월세가 저렴해졌지만, 그 전의 월세는 꽤 비쌌다. 한꺼번에 내지 못해서 한 달치 월세를 세 번에 걸쳐 나눠 낸 적도 있다. 지금까지 어떻게든 버틸 수 있던 것은 언제라도 손 내밀어준 많은 마음이 있어서다.

받을 때마다 받기만 해서 조금 염치없는 기분이 들었지만, 길가의 오지조상(お地蔵さん, 마을과 행인을 지키는 수호신으로서 길가나 마을 경계 등에 세워진 지장보살상—옮긴이) 같은 거라는 말을 들은 뒤로는 마음이 편해졌다.

서점의 카운터 위는 언제나 어수선하다. 내가 하고 있는 일과 막 도착한 책이 널브러져 있다. 선물 받은 귤과 채소, 손님이 녹화해 온 DVD도 줄지어 있다. 마치 할머니댁의 고타쓰 위 같다.

후기

이 책은 지방 중소도시에 있는, 다이다이 서점이라고 하는 서점 겸 카페가 무대다. 사람에 따라 서점 이름이 오렌지가 되기도 한다.

손님이 정다워서, 처음에는 어쩌면 좋지, 하고 생각했다고 역대 직원들에게 들었다. 편집자 오가와 씨로부터 서점에 모이는 사람들에 대해 써달라는 말을 들었을 때, 그들이 말하는 정다운 손님의 얼굴 몇몇이 떠올랐다. 하지만 무엇을 쓰고 무엇을 쓰지 말까, 라고 생각하니 좀처럼 쓸 결심이 서지 않았다.

하지만 '다이다이 서점'이라는 장소는 어느 서점일 뿐이라는 걸 깨닫자 마음이 조금 편해졌다. 나에게는 소중한 장소이고, 마찬가지로 그렇게 생각해주는 손님도 몇 명 있을지 모르지만, 읽는 사람도 그러리란 보장은 없다. 저마다 '다이다이 서점'을 대신할 장소가 있어서 그곳을 떠올리면서 읽을 게 틀림없다. 처음부터 장소가 필요 없는 사람도 있을 것이며, 필요하지만 없는 사람은 이제부터 찾을 것이다.

나는 서점 주인이지만, 이 몇 가지 소소한 이야기 속에서는 그저 점경点景으로, 어쩌면 점경도 아닌 그 광경을 어떻게든 글로 써서 나타낼 수 없을까 하고 멀리서부터 몇 가지의 일을 꺼내 소묘하고 있는 방관자다. 지우고 쓰고, 지우고 쓰면서. 이건 쓰고, 이건 쓰지 않아 등 결정하지도 못하고 매일 서점 문을 여는 한편, 떠오른 일이나 일어난 일을 띄엄띄엄 적어놓았다.

돌이켜보면 빠뜨린 사람도 일도 아주 많다. 책을 쓴 뒤에도 서점은 계속 문을 여니까, 이 책에 등장하는 사람들의 생활도 매일 달라진다. 그 후를 모르는 사람도 있는가 하면, 변함없이 점경으로서의 내가 계속 바라보고 있는 인생도 있다. 서점에서 보내는 시간 등 인생의 작은 조각일지도 모르지만.

매일 달라지는 것들 중 하나.

초등학교 5학년인 유히는 올 여름 서점에서 개최한 돈치 피클스 씨와 하우이 리브Howie Reeve 씨의 라이브를 엄마와 둘이서 보러 왔다. 때때로 웃고, 때때로 신기한 얼굴을 하고 어른들 틈에 섞여서 카운터석에서 듣고 있었다. 돈치 씨는 일러스트도 그려서 라이브에는 굿즈 코너도 있다. 가방과 동전 지갑과 티셔츠에 시디CD. 아무거나 하나 사준다는 소리를 들은 유히는 시디가 갖고 싶다고 했다. 인생 첫 음반 구입과 첫 라이브.

하지만 실은 엄마의 배 속에 있을 때 이미 라이브를 경험했다는 것을 알고 있을까? 다음에 물어봐야겠다고 생각한다.

2019년 9월

다지리 히사코

이 책에 나오는 책과 잡지

『나는 아버지가 하느님인 줄 알았다』, 폴 오스터 엮음, 윤희기·황보석 옮김, 열린책들, 2004

『고해정토:나의 미나마타병』, 이시무레 미치코 지음, 김경인 옮김, 달팽이, 2022

『음식 준비 소꿉놀이食べごしらえ おままごと』, 이시무레 미치코, 中央公論新社, 2012

『동백 바다의 기록椿の海の記』, 이시무레 미치코, 河出書房新社, 2013

『겐샤』, 후쿠시마 지로福島次郎, 論創社, 2017

《구마모토 풍토기熊本風土記》 창간호, 신문화집단

『바나의 전쟁Dear World: A Syrian Girl's Story of War and Plea for Peace』, 바나 아베드Bana Alabed, Simon & Schuster, 2017

『코르시아 서점의 친구들』, 스가 아쓰코 지음, 송태욱 옮김, 문학동네, 2017

『들불』, 오오카 쇼헤이 지음, 이재성 옮김, 소화, 1998

『체르노빌의 목소리』, 스베틀라나 알렉시예비치 지음, 김은혜 옮김, 새잎, 2011

『전쟁은 여자의 얼굴을 하지 않았다』, 스베틀라나 알렉시예비치 지음, 박은정 옮김, 문학동네, 2015

『갈대 둔치葭の渚 石牟礼道子自伝』, 이시무레 미치코, 藤原書店, 2014

『코요테의 노래コヨーテ・ソング』, 이토 히로미伊藤比呂美, スイッチパブリッシング, 2007

《아르테리アルテリ》 3·5호, 다이다이 서점 내 아르테리 편집실

『먼 길長い道』, 미야자키 가즈에宮崎かづゑ, みすず書房, 2012

『나는 한 그루의 나무私は一本の木』, 미야자키 가즈에, みすず書房, 2016

『무코타 구니코와의 20년向田邦子との二十年』, 구제 데루히코久世光彦, 筑摩書房, 2009

『아카사키 수요일 우체국赤崎水曜日郵便局』, 구스모토 도모로楠本智, KADOKAWA/角川マガジンズ, 2016

『도쿄 스루메 클럽 지구를 방랑하는 방법東京するめクラブ地球のはぐれ方』, 무라카미 하루키, 요시모토 유미吉本由美, 쓰즈키 교이치都築響一, 文藝春秋, 2008
『야쿠르트 스왈로스 시집ヤクルト・スワローズ詩集』, 무라카미 하루키
『하늘색 창そら色の窓』, 사사키 미호佐々木美穂, PHP研究所, 2004
《Over》 창간호, オーバーマガジン社
『고향은 가까이에故郷は近くにて』, 세키関敬, 熊日出版, 2008
『밤의 미키 마우스夜のミッキー・マウス』, 다니카와 슌타로谷川俊太, 新潮社, 2006
『봄과 아수라』, 미야자와 겐지, 정수윤 옮김, 읻다, 2022
『꽃을 바치다花を奉る』, 이시무레 미치코, 藤原書店, 2013

다이다이 서점에서

초판 1쇄 발행 2023년 1월 31일
초판 2쇄 발행 2023년 11월 30일

지은이 다지리 히사코
옮긴이 한정윤

펴낸곳 니라이카나이

출판등록 2020년 1월 29일 제2020-000024호
이메일 niraikanai_2020@naver.com
인스타그램 niraikanai_books

ISBN 979-11-981778-0-3 03830

• 잘못 만들어진 책은 구입하신 곳에서 바꾸어 드립니다.
• 값은 뒤표지에 있습니다.